ガチガチの世界をゆるめる

澤田智洋
（世界ゆるスポーツ協会代表理事）

百万年書房

ガチガチの世界をゆるめる

はじめに

「決まりですから」
「もう何年もこのやり方でやってきましたから」
頑なにガードをかためて、心をピクリとも動かさない人。いませんか？　いますよね。ガチガチな人。そんな人たちが集まってできているのが、このガチガチ王国・日本です。

肩が凝ったときは、マッサージをしたり、ストレッチをしたり、対処療法はいくつかあります。

では、社会がガチガチに凝っているときはどうすればいいと思いますか？　実は、肩と同じで、何らかのツボを刺激して、血流を良くするのが有効です。ただし、身体に施す療法（手で揉んだり鍼を刺す方法）とはやり方がずいぶんと違います。ぼくは、そんな社会をマッサージするような仕事をしているのですが、その話はまた詳しく書いていきます。

あらためまして。はじめまして、澤田智洋と申します。

ぼくは普段、広告代理店で、コピーライターの仕事をしています。自分自身を凝り固めないためにも、広告のほかに、スポーツや福祉、音楽やマンガなど、ゆらゆらといろいろな仕事をいったりきたりしています。つかみどころのない働き方、とも言われますが、つかまれたら終わりだと思っているのです。


もともとぼくは、「昨日の自分の人生をコピペしない」をモットーに生きてきました。

でも、数年前に起きたある個人的な出来事をきっかけに、以前にも増してさまざまなことを手がけるようになり、今では人から「いったい何が本業なの？」「誰？」と聞かれる日々をすごしています。

たしかに、毎日いろんな現場に首を突っ込み、自分でも目まぐるしい人生だと思います。

ただ、自分の中ではやっていることの軸は一貫しているつもりなんですよね。

「**この社会全体をもっとゆるめたい**」

一言でまとめると、ぼくのやっていることはこれに尽きます。

本書では、そんなぼくのこれまでの歩みと、現在手がけていることを、ひとつずつ、ゆっくりと、みなさんにお話ししていきたいと思います。どうぞよろしくお願いいたします。

で、さて。まずはじめに、現在ぼくの仕事で中心を占めているものは、「世界ゆるスポーツ協会」という団体の仕事です。すべてはここから始まりました。

ぼくはこの「世界ゆるスポーツ協会」の代表理事を務めているのですが、実は、世界で一番敬遠してきたものがスポーツなんですね。おかしいと思いませんか？　ふつう、「好きなことを仕事にしよう」と言いますよね。わざわざ嫌いなことを仕事にする人は変なのでしょうか。

でも、そこにはもちろん理由があります。

人生は長いですよね。いつ病気や事故で終わるかわからないけれど、それでも平均寿命は延びています。そうすると、苦手を苦手なままにしておくのではなく、「苦手を、自分なりに好きになっていく生き方」こそが今大事だと思うのです。その方が、人生が後半戦にいくほど、どんどん楽しくなりそうな気配がします。

だからぼくは、不得意なスポーツを仕事にしています。

ただし誤解しないでください。何かが苦手だからといって、歯をくいしばってそれに合わせていく必要はまったくありません。あなたが変わる必要はないのです。そうではなく、社会の側を変えるのです。

すべての人には、その人に合った水があると思っています。もしあなたが今、自信がなかったり、自分ってダメだなと思っているのであれば、それは水が良くないのです。淡水魚が海水では生きられないのと同じように、もしかしたら、あなたに苦手なものがあるのは、水が合っていないだけかもしれません。だったら、水を変えましょう。もしくは、新しい水をつくりませんか？　というのが、本書の提案です。そうすると、すべての人が水を得た魚になれます。

ただし、ぼくは「改革だ！」「ウォー！」みたいな社会運動ノリが、あまり好きではありません。スポーツが苦手だから「運動」が苦手なのかな、と今ふと思いました。

だから、ぼくが「世界をゆるめる」ときに大事にしているのは、眉間にシワを寄せるというより、ルンルン気分で口笛を吹きながら進めていくことです。忘れちゃいけないのはユーモア。ユーモアは英語で〝ｈｕｍｏｒ〟と書きます。これって、人間〝ｈｕｍａｎ〟とスペルが似ています。ぼくは高校生のときに、「スペルが近いということは、人間とユーモアは切っても切り離せないんだ！」と勝手な解釈をして、今に至ります。だから、世界をゆるめるためには、ユーモアは必需品です。と、この本は、ぼくがオリジナルで考えてきた思想や、かなり独特のアクションを紹介します。こういう人が日本にいて、日本をゆるめようと奮闘しているんだなと知っていただけるだけでも嬉しいですし、30年後、50年後の日本のためにも、一緒にゆるめてくれる仲間になってくれると、もっと嬉しいです。

ガチガチの世界をゆるめる　目次

第1章　スポーツをゆるめる

大のスポーツ嫌いだった

物心ついた頃からスポーツが苦手でした。みんなよりも足が遅く、陸上はもちろん球技なども全然ダメで、学校の体育の授業はイヤでイヤで仕方ありませんでした。

少しだけ、ぼくの「スポーツ黒歴史」をご紹介します。

ぼくには年子の弟がいるのですが、彼はやたらと運動神経の良い少年でした。家の壁をするするするっと登り、スパイダーマンのようなポーズで天井近くに鎮座している姿を今でもよく覚えています。翻ってぼくは、典型的などんくさい少年でした。足は遅い。投げ方がくにゃくにゃしている。段差も何もないフラットな道で転ぶ。弟との対比がくっきりとしていました。

そんなぼくに、魔の日がおとずれました。小学校2年生のときの運動会です。ぼくからしたら「わざわざ自分の醜態を、両親と祖父母にさらす日」でした。案の定ぼくはいいところなし。一方、弟はリレーのアンカーでした。彼が猛烈果敢に走り、すごい勢いでコーナリングを決めながら、大喝采の中ゴールテープを切る姿をぼくは生涯忘れられないでしょう。自分がみじめでしたね。

小学6年生のときの同級生、Tくんも、ぼくをスポーツ嫌いにした人物です。彼はクラスで一番足が速かったのです。当時、ぼくはなるべくスポーツと距離を置こうとしていて、生き残る活路として「クラス新聞」というものを自主制作していました。はっきり言ってニーズなどありません。でも、この圧倒的にニッチな領域でしか生きる術を見出せなかったのです。

ある日のお昼休み、ぼくが例によってクラス新聞をちまちまとつくっていると、窓の外の校庭から女子の黄色い声が聞こえました。ふと見やると、Tくんが校庭を走っていたのです。ただそれだけなんですが、とにかく速い。フォームも芸術的に美しい。なにより、柔らかな髪が風にしゃらしゃらなびいているのです。その瞬間、ある考えが頭をよぎりました。

（人生終わったな）

大げさですよね。でも、「世界の広さ」を知らない少年からすると、Tくんとぼくとの間には、永遠に渡れないルビコン川が轟々《ごうごう》と流れているように感じ、絶望感をおぼえずにはいられなかったのです。

そもそもが、日本の「体育」とまったく気が合わなかったんです。背の順で並ぶってどうして？　組体操ってなんでやるの？　野球部員が坊主ってどういうこと？　何もかもが、納得いきませんでした。

15歳からはアメリカに引っ越しました。クラスメートは白人や黒人です。身長が190cm台の同級生もいるのです。さて、そんな環境では何が起きるでしょうか。バスケの試合でぼくがボールを持ち、シュートでも打とうものなら、100％ブロックされるのです。ボールがぼくの手を離れた次の瞬間、地面に叩きつけられる。これが繰り返されるとどうなるでしょうか？　ますますスポーツが嫌いになるのです。

日本でもダメ、海外でもダメ。地球に逃げ場はないいんだと思うと、もう本当に目の前が

今でも運動会の音が聞こえるたびに
「被害者が生まれていませんように」と祈っています

真っ暗になりました。嗚呼、スポーツのない星に生まれたかった。

22歳のときに広告代理店に入社ました。仕事が忙しいことを理由に、10年間でスポーツをしたのは2回だけ。これでスポーツから逃げ切れると思ってホッとしました。でもある日、先輩から「週末に会社メンバーでフットサルをやるから、どうしても来てほしい」と誘われてしまいました。まったく行きたくありませんが、立場の弱いサラリーマンに拒否権なんてありません。イヤな予感がします。

まったく気が乗らないまま、当日がやってきました。プレイ中に自分に課したタスクはひとつだけ。「存在感を消すこと」です。その甲斐あってか、試合中ぼくの足元にボールが来ることはほとんどありませんでした。

間もなく試合終了。安心したのも束の間、ぼくのところへ、ボールが転がってきました。そして、たまたま目の前にはゴールが。不恰好なフォームでボールを蹴ると、なんとそのままゴールネットへと突き刺さりました。自分でも信じられませんでした。

「今日からスポーツを好きになれるかも！」

自然と笑顔がこぼれていました。しかし、試合終了後に待っていたのは、チームメイトたちからのこんな言葉でした。

「かっこいいなあ澤田のシュート姿（笑）」

「澤田が決めちゃったよ（笑）」

誰もが嘲笑を浮かべていたのです。そのときみんなに合わせて「いやー自分でも驚きですよ！　あはは」と笑いながら、心に決めました。

こらスポーツ！　もう金輪際、二度と関わらないからな！

ぼくはスポーツ障害者

まあ、たしかに自分でも、きっとへっぴり腰でシュートしていたんだろうなと思います。

ぼくみたいな人間のことをよく「スポーツ音痴」とか言いますけど、自分としてはそんなレベルじゃない、という自覚があって、むしろ「スポーツ障害者」と言ってもらった方がすっきりする。ぼくにとってそれくらいスポーツは天敵だったのです。

そんな、スポーツにまったく居場所を見いだせなかったぼくが生み出したのが「ゆるスポーツ」です。

おかげさまで、最近はテレビなどでも紹介されているので、「ゆるスポーツ」という名前だけは聞いたことがある、なんて方もいらっしゃるかもしれませんね。

ゆるスポーツとは、名前のとおり「スポーツ」を「ゆるめた」ものです。

ここで、2つほど具体的な競技を紹介してみましょう。

まずは、「500歩サッカー」。

これは、5対5でやるサッカーなのですが、名前のとおり試合中は500歩しか動いてはいけないというルールがあります。

プレイヤーは「500歩サッカーデバイス」という、歩数を計測するデバイスを腰につけてプレイし、動いたぶんだけ残り歩数が減っていくんです。つまり、1歩動いたら1ゲ

500歩サッカー
試合中は 500歩しか
動いてはいけません
7
10
激しく走ると
一気に減る!
5
3秒静止すると回復!
3
1
2
3
ゲージが0になったら
退場!
4

試合が進むほど、フィールド上で休憩するプレイヤーが増えていくのが笑えます

ージ減る。思い切り走ると、その運動の激しさによって3ゲージや5ゲージ、一気に減ることもあります。で、残り歩数がゼロになったら、その選手は退場しなくちゃいけない。

さらに、もうひとつ仕掛けがあって、選手が3秒以上静止して休むと、1秒に1ゲージ、残り歩数が回復するんです。つまり、「休む＝回復する」ということもプレイの一種になるんですね。

で、これだと、サッカーが得意な選手がいつもどおりプレイすると、たちまち残り歩数がゼロになって退場しなくちゃいけなくなってしまう。逆に、ぼくのようにあんまり走らない人間が生き残るスポーツなのです。

もうひとつ、「イモムシラグビー」という競技もご紹介しましょう。

これは世界ゆるスポーツ協会の立ち上げ初期に生まれたのですが、いまだに大人気の競技です。

5対5でやるラグビーなのですが、選手は全員イモムシウェアという下半身が動かせなくなるウェアを身につけます。なので、ラグビーなのに立って走ることもタックルすることもできず、全員が地べたに寝そべって、這ったり転がったりしながらラグビーボールをゴールまで運んでいくのです。

で、ラグビーと同じようにトライゾーンにトライを決めると得点が入ります。また、ボ

イモムシラグビー

パスは基本

反則したら
ひっくり返って
イモムシフリーズ!

このウェア、着ると安心感があるので「人間に戻りたくないな……」とぼくはいつも思ってしまいます

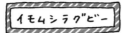

ールを持っているプレイヤーは、相手プレイヤーからタッチされたら3秒以内に味方にパスしなくてはいけない、というルールもあります。

これ、試合時間中ずっと這い回らなくてはいけないので、けっこう運動量が多いスポーツなのですが、そこも含めて人気なんです。

障害を疑似体験する

この2つの競技の紹介で、ひょっとしたら勘の良い読者の方はピンときたかもしれません。そうなんです、実はゆるスポーツでぼくが目指していることは、「健常者」を「障害者」にしてしまうことなんです。

これは、ぼく自身がスポーツ障害者だという自覚からの発想です。

いきなりですが、これを読んでいるみなさんはいわゆる健常者ですか？　それとも障害者ですか？

言い方を変えます。あなた自身は、今のこの社会でマジョリティですか？　マイノリティですか？　もしくは自分のことを強者だと思っていますか？　それとも弱者だと思っていますか？

もしもみなさんが自分のことをマジョリティ・強者だと思っていても、いつどんなきっかけでマイノリティ・弱者の側になってしまうか、わかりません。

ぼくは日常生活では今のところ、いわゆる健常者ですが、スポーツの場面になると「障害者」としか言いようがないほど、みんなができることができません。

そもそもある人が場面によっては強者だけど、別の場面では弱者になることだってあります。たとえば、会社では部下からの信頼も厚い部長が、家に帰れば居場所がなくて家族から口もきいてもらえない、なんて話はよく聞きますよね。

健常者―障害者、強者―弱者、マジョリティ―マイノリティという構造って、とても不安定で脆いものなんです。

それなのに、自分がマジョリティの立場でいるときは、マイノリティの置かれている状況を想像するのはとても難しいことです。

たとえば、目が見えない人の暮らしについて、頭では理解したとしても、実際の生活や彼らの困りごとについて、目が見える人が正しく想像することは困難です。

そもそも人間はみんな想像力が欠如しています。

いくら頭で考えても理解できるわけがないんです。それが人間という生物の限界なんです。「イマジン」は万能ではありません。

ぼくはそう思っています。

でも、そこで思考停止して、「どうせわかり合えるわけがない」と諦めてしまうと、世界はガチガチに分断されたままになってしまいますよね。

ぼくは、そんな世界をゆるめたいんです。

だから、新しい「ゆるスポーツ」をたくさんつくって、広めようとしています。健常者が障害者の立場や気持ちを、頭で理解することは無理だと思っているからこそ、ゆるスポーツはどれも「障害者の疑似体験」になっているんです。

「身体」で違う人を理解する

ここで、よく考えてみてください。

ゆるスポーツに限らず、そもそもすべてのスポーツは、ある意味で障害者体験なんです。サッカーは「手が使えない障害」だし、ラグビーは「後ろにしかパスを出せない障害」だし、バスケは「ドリブルしている間しか動けない障害」です。スポーツは、ある制約《ルール》の中で能力を競い合うものなので、これは考えてみると当然のことです。

そこで、世界ゆるスポーツ協会では、しばしば障害のある人を起点に、競技をつくっていきます。

たとえば、先ほど紹介した「５００歩サッカー」。

これは実は、14歳（当時）のＴＫという友人と一緒につくりました。ＴＫは、生まれつき心臓の病気です。心臓に負荷をかけすぎないために、長い間歩いたりすることはしていません。基本的に車いすで生活しています。

だから当然、体育なんかもまともにやったことがないわけです。一度「スポーツってどう思う？　面白い？」と聞いたら、

「スポーツの面白さが、そもそもわからない」

とＴＫは言いました。それは、いぶりがっこを食べたことがない人が、いぶりがっこがおいしいかどうかがわからない、というのと同じことです。

ＴＫは、なるべく心拍を安定させる必要があります。だから、たとえば少し走れたとしても、その後こまめに休まなければいけないんです。


もちろん「ＴＫはスポーツをしないで生きていく」という選択肢もあります。身体のことを考えると、これもひとつの正解です。だけど、今ＴＫができるスポーツがないんだったら、「ＴＫのために新しいスポーツをつくればいい」という選択肢だってあります。ＴＫも「スポーツはやれるものなら、やってみたい」という気持ちでした。

そのためにはどうするか。みんながTKと同じような状態になるスポーツをつくればいいんです。つまり、TKがスポーツに合わせるのではなく、スポーツがTKに合わせるんです。そうすると、一般の参加者に混じって、TKが試合に参加しても、参加者や観客にはそのTKが心疾患だとわからない。（いわゆる）健常者と（いわゆる）障害者が、対等に楽しく試合ができるんです。

先ほどさらりと説明した、「3秒以上休むと、歩数が回復する」というルール。実はこれがポイントなんですね。なぜかというと、通常のスポーツで試合中に休んでいると「もっと動け！　何してるんだ！」となります。でも、500歩サッカーでは「回復」というプレイをしているわけで、「よく休んだ！　偉い！」となるのです。そうすると、休むことに引け目を感じるどころか、休んでいる自分を称えたくなります。TKとしても、「堂々と休める」わけです。新しいスポーツをつくるというのは、それまでの価値観を反転させたり、一新させたりすることなのです。

で、試合が終わったあとで、「実はこの500歩サッカーは、心疾患の友人と一緒に開発したゆるスポーツで、今日プレイしたメンバーの中にも心疾患の方がいます。これは彼ら彼女らの日常そのものなんです」と種明かしをすると、みなさん驚いて、「なるほどね」となります。自分が知らなかった人、想像力がおよばなかった人に、スポーツを通じてなり切ることで、身体で理解できるんです。

巷には「障害者体験」プログラムがいくつかあります。たとえばアイマスクをしたり、車椅子に乗ったりして、アクティビティをするものです。ただ、その中には、「やっぱり障害者って大変なんだな……」と偏った印象を残してしまうものも少なくありません。

スポーツとは、何らかの不自由を楽しむものです。だから、スポーツを通した障害者体験は、「普段とは違う身体と向き合う楽しさ」が印象として残ります。

新しいスポーツをつくることは、当事者にとっても、非当事者にとっても、発見にあふれているのです。どうでしょうか、思ったより深い世界ではないですか？

POPな障害をつくる

同じく、イモムシラグビーは、車いすで普段生活している人の疑似体験です。

この競技は、ぼくが初めて障害者の独自性に着目し、戦略的につくったゆるスポーツでした。その成り立ちを、ここで少し詳しくご説明します。

ぼくの友人に上原大祐さんという、車いすのパラ・アスリートがいます。

ある日、上原さんから「車いすの人が体育館を借りるのは難しい」という話を聞かされました。車いすの方が公営の体育館を借りようとすると「床が傷つくんじゃないか」「タイヤ痕で設備が汚れるんじゃないか」などの理由で、いまだに拒否されることが多いそうです。そもそも傷は簡単につくものではないし、タイヤは体育館に入るときに拭けばいいし、万が一床が汚れても、試合後に拭けばいいだけの話なのに。施設側が先入観をもっていたり、単純に「面倒くさい、イレギュラーに対応したくない」という気持ちがあるのでしょう。

「日本の車いすユーザーって、なかなかスポーツができないんだよ」

上原さんは、そう憤慨していました。パラ・アスリートなのに、スポーツをできる環境が限られているって、何かがおかしいと言わざるをえません。

そこで、「だったら車いすを使わないスポーツをつくればいいんじゃないか」と、ぼくは思ったんです。それなら施設側も、文句の言いようがないなと。

ぼくはまず、車いすに乗っていない状態の上原さんを観察することにしました。

彼の家に遊びに行くと、玄関に車いすを置いて、家の中では這って生活していました。「お茶を持ってくるよ」と言うと、さっとキッチンへ這っていくんですね。その動作が、すごく素早かったんです。毎日這って生活しているから、這うための筋肉が腕についているんです。ためしにぼくも這ってみたのですが、まったくうまく動けませんでした。

上原さんに「車いすユーザーって、家の中では這って生活してる人が多いの?」と聞いたら、「もちろん全員ではないけど、そういう人はいるよ」と言われたんです。で、這うスポーツってある? と聞いたら「ないんじゃないかな」と。

そこから、這ってプレイするスポーツなら、体育館も借りられるし、さらに車いすの人と健常者が一緒に試合ができるかもしれないと思い至りました。

で、ここからが肝なのですが、普通に「這ってプレイするスポーツ」を考えると、両足をガムテープでグルグル巻きにしてとか、そういう話になるんです。でも、それって楽しいでしょうか? なんか拷問みたいじゃないですか?

ゆるスポーツを考えるとき、何か障害をつくって、みんなを新しい障害者に変えるんですけど、ぼくはその障害がPOPであることにこだわりたいんです。

POPというのは、とっつきやすい、笑える、魅力的、みたいなことです。その情報に触れたときに、「なんか楽しそう」と真っ先に思ってもらいたいんです。

だから、「這ってプレイするスポーツ」をつくろうと思ったときも、どうすればPOPになるかを考えました。で、這うもので素敵なものは何だろう? と考えて、ぼくは『はらぺこあおむし』という絵本を連想しました。

『はらぺこあおむし』、誰でも一度は見たことがあるんじゃないでしょうか。あのカラフルな色彩、これは楽しそうだなと思ったんです。プレイヤー全員があのイモムシになっていたら素敵だなと。そこから、まずイモムシウェアが生まれました。

次に、どういうスポーツだったらみんなに「やってみたい」と思ってもらえるかを考えました。まず思ったのは……這うのは疲れるので、フィールドは狭くしようということです（笑）。そう、ゆるスポーツはこんな風に自由につくっていくんです。

そこから「既存のどのスポーツと掛け合わせるのがいいだろうか」を考えていきました。

イモムシウェアを着ていると足が使えないので、サッカーと組み合わせるのは難しい。ドリブルが必要なバスケも難しい。イモムシウェア以外にさらに用具が必要なスポーツ（卓球とかテニスとか）も、準備が大変になるのでイヤだなと。こうして、選択肢をどんどん減らしていったら、ラグビーが残りました。

ラグビーは、手でボールを持ってトライし、得点が入ります。イモムシウェアを着ていても、上半身は動かせるからトライなら決められるので最適です。こうやって理詰めで考えていく中で、イモムシラグビーのルールが完成したのです。

で、実際にプレイしてみたら面白いことに、車いすユーザーの上原さんが大活躍するんです。普段から這っているので、ひとりだけレベルが違う。這うというよりスイスイ泳ぐような動きで、健常者は誰も太刀打ちできない。

このイモムシラグビーの何が良かったかというと、ひとつ目は車いすを使わなくてもプレイできるので、どんな場所でも遊びやすくなったこと。ふたつ目は、障害者が健常者よりも強いし、活躍するという、みんなの持っている一般的な常識をひっくり返すことができたこと。

ちなみに健常者の方にこっそり教えると、イモムシラグビーは無理に動かなくてもいいんです。トライゾーンのそばで、じっと待機していてもいい。トライゾーンの近くにいて、パスを受けたら、そのままゴロゴロ転がってトライするという戦術もアリです。運動が苦手な方でも、イモムシトライを連発できることがよく起こります。コツさえつかめば、誰でも活躍できるスポーツです。「人生で初めてトライを決めた!」と喜ぶ方も大勢います。試合中、ただ寝転がっていても誰にも怒られません。いっそのこと試合中にそのまま本当に眠ってしまっても、チームメイトからは起こされるかもしれませんが、審判からは注意されません。

このゆるさこそが「ゆるスポーツ」なんです。

イモムシラグビーは既存の「スポーツ」の概念をゆるめているんです。そして、「障害者は健常者に保護される存在だ」という常識もゆるめている。スポーツと社会の価値観、両方をゆるめているんです。

「体育脳」の功罪

そもそも、スポーツって特にガチガチに固まっている世界だと思いませんか？特に日本のスポーツシーンは常にシリアスで、ユーモアが少ない。やたら緊張感のある空気が漂っています。ぼくはそんな空気の被害者だったので、スポーツを自分にとって居心地の良い場所にゆるめたいと思いました。

日本には「体育会系」というジャンルがありますよね。忍耐や自制といった美徳に従って、先生や監督・コーチの指示を徹底して守る学生時代を送ることで、会社に入ってからも、ルールに従って、順調に出世していく人たちのことです。

でも、運動部に入っていなくても、いわゆる「既存のルールを遵守するのが是」という価値観をもったまま大人になる「体育脳」の人は、日本に多いと感じます。で、この「体育脳」の功罪は確実にあります。いま仕事がうまくいっていない年配男性たちの中に、この「体育脳」の人が多いと感じています。

なぜなら、この不確実すぎる時代においては、確信をもってリードしてくれるリーダーなんて少ないからです。また、昨日のルールが今日通用しなくなることも起こり得る日々です。だから、どこかで脱・体育脳をしないと、自分がどんどんしんどくなるんじゃないかなと思います。

でも、そういう人たちが大企業の偉い人の中には多くて、一番ゆるスポーツのことを理解してくれません。「ルールを崩すとは何事だ！」「スポーツを馬鹿にしているのか！」みたいな反応が返ってくるんです。ぼく自身、その気持ちもわかります。

日本の近代スポーツというのはそもそも、規律に従って動く優秀な軍人（現代では企業戦士）を育成するためのものですから、クリエイティビティを発揮してゆるめるものではない！　と思われているのでしょう。

でも、これからはますますホワイトカラーの仕事は減っていきます。業務の自動化・AI化がますます進んでいくと、そこで仕事を奪われて困るのは誰なのか。それは「会社の命令は絶対！」で、上司や昨日までの常識に従いつづける「体育脳」の人たちです。

だからこそ、「今のルール」に縛られている体育脳のみなさんに、そろそろ思い切って自分自身をゆるめてみませんか？　新しい地平線が出現して、気が楽になりますよ、ということをなんとか伝えたいのです。

また、何かをゆるめるとは、新しいルールをつくることです。しかも、自分最適に。だからこそ、このやり方を知っておくと、どんな不規則な時代にもしなやかに対応できますし、どんな状況でも自分らしく生きることができます。

ぼくは、自分が苦手なスポーツをゆるめたことで、自分が生きる世界を前よりも好きになっています。

一方で、スポーツ以外にも硬直した領域は、日本中にたくさんあります。日に日にぼくがゆるめたい世界は増えているのです。

第2章

ゆるスポーツが生まれるまで

さて。なぜぼくが「ゆるスポーツ」にこんなに力を入れているのか？

本書の冒頭で、ある個人的な出来事がきっかけで、と書きましたが、ここからはその話をします。

ぼくの息子は目が見えない

2013年1月25日。ぼくに息子が生まれました。

生まれてしばらくしてから、「なんか視線が合わないな……」と違和感をおぼえていましたが、生後3か月くらいで急に目が充血しはじめたので、近所の眼科へ飛び込んだんです。そこで「うちでは手に負えないから、すぐに大きい病院へ行ってください」と言われ、紹介状をもらいました。

翌日、指定された総合病院へ行き、小児眼科の先生に診察してもらったところ、息子の目には緑内障、白内障、網膜ひだ、網膜異形成など、さまざまな障害が併発していることがわかりました。

ぼくはそれまでの人生で、障害のある方々とほとんど接したことがなかったし、身近な人たちや家族に障害のある人がいなかったので、まず驚きました。まったく思いもよらない事態だったのです。

その次に思ったのは「なぜぼくの息子が」ということです。

その病院は小児医療で有名な病院なので、ぼくたち夫婦の周りにも子どもがたくさんいたんですが、やっぱり健常児が多いんですよね。こんなにたくさんの健常児がいる中で、なぜ我が子に障害があるのか、なぜウチだけが……という思いになりました。

追い討ちをかけるように、先生から「右目の奥に異物がある」と言われました。「それが腫瘍だった場合、脳に近い位置なので命の危険もあります、すぐにＭＲＩやＣＴを撮って検査しましょう」。

気づいたら祈っていました。

それまで特定の宗教を信じたことはなかったのですが、「どうか悪性腫瘍でありませんように」と、その検査の間に、思いつく限りの神様に祈りました。ついでになぜか祖父母にも祈っていました。祖父母はまだ存命なんですけど、それくらい錯乱状態になっていたんです。

検査の結果、異物はどうやら腫瘍ではないという話でした。つまり、命に別状はないことがわかりました。でも、白内障などを併発していて、眼圧が高くなっているので、吐き気をもよおしたり気分が悪くなることがあるそうです。そこで「手術をしましょう、目が見えないことは治せないけれど」と言われ、翌週に手術をしました。まだ生まれて間もないのに、全身麻酔をして、身体をボロボロにして。施術前はミルクも飲めないので、息子はお腹をすかせて号泣していました。

本当に、地獄に突き落とされたような気分でした。

息子の目に障害が見つかったときは、あまりに突然すぎて、頭が真っ白になりました。後日、妻から「あのとき、顔が真っ白になってたよ」と言われました。頭が真っ白になると、顔も真っ白になるんですね。

喪失と絶望

その日から、ぼくは広告の仕事が手につかなくなりました。

息子が背負っているものに比べたら、自分の仕事って何の意味があるんだろうと思ってしまって。当時はギャグっぽいCMをつくっていて、その絵コンテを提出しなければならなかったんです。息子が入院した日の夜に、ギャグのセリフのパターンを考えていたのですが、まったく笑えるシナリオやセリフが浮かばなくなりました。それで、仕事仲間には

「申し訳ないけど、しばらく併走できないかもしれない」「仕事へのモチベーションがなくなってしまった」と連絡を入れました。

社内で参加するプロジェクトは極力減らしてもらい、ひとりでやっていた仕事はクライアントに事情を説明しました。

あと、当時、『ウォーキング・デッド』が流行っていて観ていたのですが、息子の障害が発覚してからは全然面白いと感じなくなりました。『ウォーキング・デッド』に限らず、小説も、アニメも、映画も、エンタメ全般がまったく面白くない。自分の人生に起きたことの方がよっぽどスリリングだったんです。フィクションを受けつけなくなってしまいました。

そのときの気分を一言で言うと、「すべて喪失してしまった」という感覚でした。今まで自分が築き上げてきた人生、やってきた仕事、楽しんできた映画や音楽、「もう何もかも要らない」と思いました。自分が空っぽになってしまったんです。

これから先どうしようかと毎日呆然としていました。

それからは、すっかり空いてしまった時間で、息子のケアに専念する日々でした。妻ともよく「これからどうなるんだろう」という話をしていました。

でも、こうなった以上、まずは障害者の世界を勉強しなくちゃいけないと思い、関連書籍を30冊くらい買って読んでみました。

そうすると、確かに学ぶことは多くありました。

ただ、そういう本って、本を出せるような著名人が書いているだけあって、基本的にカリスマ障害者の書いた本なんです。乙武洋匡さんや、東大の福島智さん、みんな超一流です。もちろん勉強になる部分もあったんですけど、「それは乙武さんだからできたんでしょう」という部分も多くて、そこがどうも釈然としなかったんです。彼らと息子を比べるのって、健常者で言うとイーロン・マスクとぼくを比べるようなものです。ぼくがイーロン・マスクになれるわけがない。

また、視覚障害児の育て方について書かれた本もたくさん読みましたが、このジャンルの本って、どれも大昔に書かれたものばかりなんです。「視覚障害児　育て方」で検索すると、昭和の本が検索の上位に出てくるんです。

たしかにどの本も古典的名著で、よく書かれてはいます。しかし、いかんせん古い本なので、現代のさまざまなＩＣＴ（情報通信技術）の革新は一切踏まえていない。写真やイラストも白黒で、ちょっと暗い空気がただよって、読むたびに心がズーンと重くなっていました。

息子の障害に対する不安は、今まで感じたことがある不安とはまったく別物でした。

ぼく自身の悩みやピンチなら、なんとか制御したりハンドリングする術は身につけていたつもりだったのですが、息子はぼくとは別の人間だし、「彼がこの後、視覚に障害があるまま、楽しい人生を送ることができるのか？」ということは、まったくの未知数だったんです。

当時は、毎朝起きた瞬間に憂鬱でした。

眠っている間は息子に障害があることを忘れられますが、朝起きれば、目の見えない息子がそこにいて、「これは夢じゃない」と気づかされるんですね。

息子とぼくたち夫婦が、10年後、20年後にどうなっているのか、まったく見えませんでした。今までのぼくは、わりと不確実性を楽しんで生きてきたつもりでしたが、「目の見えない息子を育てる」という巨大すぎる不確実性が目の前に立ちはだかったときに、なす術が見つからず、絶望１００％みたいな感覚でした。

確かに命に別状はないことは良かったけれど、だからと言って、息子の人生がハッピーなものになるかどうか……そこに一条の希望も見いだせませんでした。

成澤俊輔さんとの出会い

本だけ読んでいてはダメだ、と息子の今後のヒントをさがすために、当事者と会って話を聞こうと思いました。

ぼくが息子の障害をあちこちでカミングアウトすると、いろんなご縁をいただきました。それで、いろんな障害を持った方々に実際に会ってみて、「みんな普通に生きてるな」ということに、だんだん気づいていくんです。

決定的だったのが、成澤俊輔さんとの出会いです。

成澤さんは先天性ではなく中途失明で、現在はほぼ見えていません。成澤さんと出会ったのは、息子の障害が発覚してから約半年後のことでした。

彼は「世界一明るい視覚障がい者」というキャッチフレーズの持ち主なのですが、「目が見えなくても大丈夫ですよ」ということを、ぼくに教えてくれた人です。話していると、「大変なこともありますが、別に大したことではないし、普通に楽しいっすよ、アハハハ」みたいな感じなんです。

成澤さんは、若い頃に徐々に目が見えなくなる病気になってしまい、最初はヘコんだけどそのうち吹っ切れたそうで、「見えない状態に慣れれば、あとは普通です」と言っていました。成澤さんは障害のある人生を謳歌しています。しかも、もともとカリスマ性があったわけではないのに、それを後天的に体得した人なんだそうです。

意識の持ち方ひとつで人間は変われるんだ、と素直にそう思えました。彼の言葉がぼくを変えて、希望を与えてくれたんです。

普段、成澤さんは障害者の就労支援の仕事をしているのですが、彼は「ぼくが目が見えないことで、みんなが安心するんです」と言います。「目と目を合わせてコミュニケーションを取るのが苦手な、シャイな方も多いんです。そういう人は、悩みをなかなか他人に打ち明けられないんですが、ぼくは目が見えないから、みんなが悩みをぶっちゃけてくれるんですよね」と言われて、なるほど！　と思いました。

これ、今では特に驚きもせず納得できる話ですが、当時のぼくにとっては目から鱗でした。目が見えないことがプラスに働く場面があるんだ、と初めて知ったのです。

続けて、成澤さんは「今はもう、目が見えるようになりたいとは思っていないんです。今の就労支援の仕事が、自分の天職です」と言い切りました。

そもそも、ぼくは「24時間テレビ」で見るようなイメージしか持っていなかったので、「障害者＝かわいそうな境遇で頑張っている人たち」と思いこんでいました。なので、そうではない成澤さんの存在に、良い意味でショックを受けました。「障害者＝かわいそうな人」

というぼくの固定観念がゆるめられたのです。

日本ブラインドサッカー協会との出会い

成澤さん以外にも障害のある方やその関係者を含め、たぶん200人以上の人たちと会いました。その中で、成澤さんと同じくらい印象的だったのが、日本ブラインドサッカー協会事務局長・松崎英吾さんです。松崎さんに「実は、ぼくの息子も目が見えなくて……」とカミングアウトしたときのことです。

それまでは息子の障害をカミングアウトすると、驚くか、悲しそうな顔をするか、気の毒そうにするか、泣くか、といった具合にネガティブなリアクションしか返ってこなかったんですが、松崎さんは「ニヤッ」と笑ったんです。

あとで理由を聞いたら、視覚障害者の人数が減っているせいか、ブラインドサッカーはけっこう選手層が薄いそうなんです。なので、「よしよし、ブラインドサッカーの選手の卵が見つかった」ということで「ニヤッ」とされたんだとか。ぼくはこの松崎さんの「ニヤッ」にも救われました。

それまでみなさんの反応を見る度に、「障害があるということは、やっぱりかわいそうなことなんだ」と思っていたけど、松崎さんの「ニヤッ」には、障害に何らかの価値がある可能性を感じられたんです。

「障害があるなんて、いいじゃん」

こういうポジティブな反応をする人が、障害者の周りにいるんだというのが、ぼくにとっては人生を変える発見で、それも救いになりました。

障害者をブランディングする

ここで、ぼくの頭の中に、あることがひらめきました。

ぼくの本業は広告なので、戦略や言葉やビジュアルや映像で、企業のブランディングをお手伝いすることがあります。

成澤さんや松崎さんらと話すうちに、ぼくは「障害者をブランディングできるな」と思ったんです。「(株)障害者」という企業があったとしたら、今は企業イメージがあんまり良くないなと。「なんか近寄りがたい……」とか「頑張っているとは思うけど……」とか、まだそういうイメージですよね? メディアの影響もあるし、子どもの頃から健常者と障害者の学校がわかれてしまうので、「知らないからこその誤解」も生まれているでしょう。

だからこそぼくも、息子に障害があるとわかってショックだったし、周りも泣いたわけです。

でも、成澤さんを含め、大勢の当事者に会って、ぼくは拍子抜けした部分がありました。障害があることは不便かもしれないけど不幸ではないという、当たり前のことに気づいたからです。でも、そのことを知る機会が、今まで皆無だったんです。

成澤さんや松崎さんのような方がいるのであれば、これは確実に、障害者のイメージをもっと良くできると思いました。障害者と一括りにされがちだけど、そこには明るい人もいれば、愉快な人もいます。その事実をあの手この手で伝えていくことを、仕事にできないだろうか。だって、障害者を再ブランディングしてイメージが変われば、ぼくの息子がこれから生きていきやすくなるかもしれないんだから。

これは、自分の人生を賭けてもいい仕事だと思いました。

「目が見える or 見えない」が、「メガネをかけている or かけていない」「太っている or 痩せている」と同じくらいの違いとして存在する世界。お互いの差異を、面白がれる社会。

こうして、息子が生まれた当初は絶望100%だったのが、少しずつ希望を持てるようになっていきました。

もしかしたら何とかやっていけるかもしれない、と思えるようになりました。1%でも希望があるならこれを追求していこう、という道筋が見つかったんです。

見えない。そんだけ。

ぼくにとって、息子の障害の発覚は自分の「再生」でした。再び生まれたんです。

あのとき、ぼくは一度空っぽになりました。今はあそこで空っぽになって良かったと思っています。それまでのぼくはシニカルで、斜に構えていて、他人の話を素直に聞くことができないタイプでした。「ぼく」という器にパンパンに情報が入っていて、他人の言葉を受け入れる余地がなかったんです。でも、空っぽになった状態で、障害当事者の方々と会って話したら、彼らの言葉や生き様がスッと入ってきたんです。

見えない。
そんだけ。
IBSA
ブラインドサッカー
世界選手権 2014
11.16-24
11.22.24

「一度空っぽになるってのは、いいことなんだなあ」

心の底からそう思いました。

空っぽになったぼくは枯れ木のよ

うなもので、言葉をかけてもらうと、久々に水を注いでもらったような気分になって、「ぼく」という器に新しい発見がいくらでも沁み込んでくるんです。

というわけで、生まれ変わったぼくは、障害者ブランディングの活動を始めたのですが、一番最初に手がけたのが、日本ブラインドサッカー協会の大会ブランディングの仕事でした。

ブラインドサッカーの世界選手権（W杯のような大きな大会）が、２０１４年に東京で開催されることになり、そのＰＲの相談を松崎さんからいただきました。

そこで書いたキャッチコピーが、「見えない。そんだけ。」です。

それまでの障害者スポーツのポスターは、「頂きを狙え！」みたいなアスリートっぽい表現か、「仲間を信じて。」のような、ウェットなコピーばかりだったんです。だから、もっと湿度を下げたいと思いました。湿度を下げないと、食傷気味でみんなから受け入れてもらえないと考えたんです。湿度は低く、温度は高いコピーを書こうと決めていました。

あと、もうひとつ気を配ったのは、ライトにすること。障害者がサッカーをする＝大変＆かわいそう、みたいなヘビーな印象を払拭したかった。

だって、実際の選手たちと話していると、実はすごくライトなんです。「昨日、かわいい子を見かけたんですけど……」「え？　なんでかわいいってわかったの⁉」「声と足音ですよ」みたいなことを、普通に話してるんです。障害者といっても、みんな普通に生きているんですよね（当たり前です）。

当事者たちはライトなのに、世間が持つイメージはとてもヘビー。そこにすごくギャップがあるので、障害者が持っている軽やかさを打ち出せば、その意外性でみんなが驚くんじゃないかという仮説を立てて、「そんだけ。」という、とにかく軽い言葉を使うことにしました。

このコピーを書いたのは２０１４年ですが、おかげさまで大きな反響を呼んで、健常者・障害者を問わず、２０２０年現在でも覚えてくれている人がたくさんいます。某テレビ局では、色が褪せたこのポスターが今でも貼られているそうです。

そして、その反響の中からわかったことなのですが、「見えない。そんだけ。」の「見えない。」の部分には何を入れてもらってもいいんです。

視覚障害者の場合は「見えない。」ですが、健常者・障害者問わず、人によってはたとえば「仕事が進まない。」とか、「家族とうまくいかない。」とか、「恋人にふられた。」とか、何でもいいんです。

あらゆることを「そんだけ。」精神で捉えると、気が楽になるし、実際、別に「そんだけ。」のことじゃないですか。仕事がうまくいかなくても全然大したことないし、失恋しても、そのときは辛いかもしれないけど、やっぱり大したことないし、いずれ楽になります。

ここで、障害者のブランディングをしようとすると、障害者だけじゃなく健常者も楽になる・生きやすくなるということを知って、ぼくはますますこの方向にのめり込んでいくわけです。

バブルサッカーを日本に

「見えない。そんだけ。」が反響を呼んでからは、少しずつ福祉関係の仕事に誘われるようになりました。その流れで２０１５年2月にはパラリンピックカメラマンの越智貴雄さん、義肢装具士の臼井二美男さんと一緒に、義足女性のファッションショー「切断ヴィーナスショー」をプロデュースしたりと、着々と福祉の仕事が増えていきました。

そして、ほぼ同時期に「バブルサッカー」というスポーツと出会います。

バブルサッカーとは、ノルウェー生まれのスポーツで、巨大なバブルを装着してプレイするサッカーです。

ブラインドサッカーを知ったことで、目が見えない人でもできるスポーツがあることがわかったのですが、ブラインドサッカーって実はけっこうハードなスポーツなんです。選手同士で衝突することもあるし、それで骨折する選手もいます。

「もっと気軽に、息子とぼくでできるスポーツはないかな」と考えていたら、会社の先輩

みんなが、「バブル星人」みたいな、新しい生物に変わってしまう感覚が面白い

が「バブルサッカー」のことを教えてくれました。バブルを装着することで、衝撃を吸収してくれるので、転んでも痛くなさそうです（実際やってみたらけっこう痛かったのですが……）。

当時、ぼくら家族は公園に行っても、楽しめるスポーツがありませんでした。まわりの家族はバドミントンをしたりしているのに、見えない息子と運動音痴の父では遊べるスポーツがなかったんです。

バブルサッカーを見た瞬間、「これなら家族でできる!」と真っ先に思いました。それに、公園でバブルサッカーをしていたら「目の見えない子がいるかわいそうな親子」ではなく、ボヨーンボヨーンと遊んでいる不思議な親子（笑）という人目を惹く対象になれるわけです。息子が注目の的になれる、親としてそれはすごく良いことだと思いました。

そこで、バブルサッカーについて調べたのですが、当時はまだバブルサッカーが日本に入ってきていませんでした。そこで、知人に相談するうちに自分たちで輸入することになり、あれよあれよという間に「日本バブルサッカー協会」（任意団体）を設立することになりました。一応、ぼくが発起人ということで、代表理事を務めることになりました。

設立記念イベントには200人くらいの人が集まって、その場でぼくが開会挨拶をすることになったのですが……やる前は、ぼくみたいな運動音痴がスポーツイベントで挨拶をしていいのか戸惑いました。

でも、挨拶のときに壇上から会場を見わたすと、そこにはスポーツが苦手そうな人もたくさん来ていたんです。

だいたい服装を見ればわかります。

ちゃんとしたスポーツウェアを身に着けている人たちの中に混じって、ヨレヨレのスウェットを着た「休日に自宅でくつろぐお父さん」みたいな人たちがいるんです。金髪の髪を腰まで伸ばした、フットサルコートには不釣り合いなメタルお兄さんみたいな人もいました。高校時代のジャージを引っ張り出してきました、みたいな女性グループもいました。

嬉しくなりました。

つまり、ぼくみたいなスポーツと縁遠い人たちが、「バブルサッカーなら面白そう」「自分でもやってみてもいいかな」と思って集まってくれたんですね。

ここで、またさらに新たなことに気づきました。

スポーツ弱者の誕生

もともとは「バブルサッカーなら息子もできるかもしれない」という思い、つまり「障害者のために」という発想で見つけたバブルサッカーだったのですが、運動が苦手な健常者にもその魅力が届いていたんです。

「見えない。そんだけ。」というキャッチコピーが健常者の心にも届いたように、バブルサッカーも、障害者（息子）のために輸入したつもりなのに健常者の関心も集めたんです。

そこでぼくは、いわゆる「健常者」「障害者」の境界ってすごく曖昧なものだということに気づきました。つまり、息子も障害者だけど、ぼくも障害者、あのスウェットおじさんも障害者、みんな立派な障害者なんです。

ぼくは障害者手帳をもらえるわけではないし、普通は「運動音痴」と言われるんでしょうけれど、ぼくにはわかっちゃったんです。ぼくもスウェットおじさんも、動きがヘニャヘニャしていますし、走るのに難があるし、ぼくらみんなまとめてスポーツ障害者なんです。

障害者と健常者との境目は曖昧で、揺らぎがあって、その時々の社会状況によって変わる（社会保障の観点から言うと、もちろん、定まったラインはあってしかるべきですが）。つまり、障害者と健常者の垣根は、誰かが決めたもので、動かそうと思えば動かせることに気づいたのです。

ぼくもスポーツの世界では健常者と障害者のボーダーラインの上にいる、いや、むしろ障害者の側に入っていると思っています。だから、めちゃくちゃな話かもしれませんが、息子だけじゃなく、ぼくだって障害者宣言をしたい。ぼくは自分の障害に自分で名前をつけたいと思いました。今のところ「運動音痴」という言い方しかないけれど、「目が見えません」と言ったときと、「運動音痴なんです」と言ったときでは、周りのリアクションが明らかに違います。ぼくは「運動音痴」という言葉に、もっとドキッとしてほしいと思いました。わかりやすく言うと、自分を「社会課題化」したかったんです。ＳＤＧｓの課題のように、もっと注目してもらいたい。でもそのときに、「運動音痴」というちょっと間の抜けたネーミングがネックになると思ったんですね。

そこで、どんなネーミングにしようかと考えたときに、これまで本書の中ではさんざん「スポーツ障害者」という言葉を使ってきましたが、これはあくまでも、本書を読んでくださっているみなさまを信用してのことで、公の場所で使うには「〇〇障害者」って響きは刺激が強すぎます。もっと多くの人たちの興味を引きそうな、シンプルな言い方はないかと思い、「スポーツ弱者」という言葉を考えました。英語では〝SPORTS MINORITY〟です。

で、実際にどれくらいの日本人が「スポーツ弱者」なのかを調べてみたところ、当時（2014年）のデータでは、日本人全体の58％が日ごろ運動をしていなかったんです。

しかも主な理由は「スポーツが嫌いだから」。

つまり、日本人の58％が「スポーツ弱者」だったんです。日本人全体の半数以上が障害者、しかもこの障害に対するケアは誰もやっていない。これは、自称・スポーツ弱者代表のぼくがやるべきではないか。

そこで、今度は、バブルサッカーというすでにあるスポーツを輸入するのではなく、自分でスポーツをつくろうと思いました。なぜなら、バブルサッカーも「怖そう」だからやらないという友人も周りに大勢いたからです。スポーツ弱者でも活躍できる新しいスポーツを、ゼロからつくろう。これが、世界ゆるスポーツ協会の誕生の瞬間です。

こうして、ぼくの現在の活動の両輪となる、2つのミッションが明確になりました。

1．障害者のこれまでのイメージを再ブランディングしていく。

2. これまで障害者だと思われていない人たちを障害者認定し、それぞれが自分の障害を自覚しつつ輝ける環境をつくる。

めちゃくちゃな話に聞こえるかもしれませんが、ぼくは「健常者の障害者化」を促進したいのです。

どうしてこんな考えに至ったかというと、人間というのは環境次第で大きく変わりうるということを目の当たりにしたからなんです。

たとえば、視覚障害者が公道を歩くときは、白杖を持って慎重に歩きますが、ブラインドサッカーの試合中は、白杖を持たずにダッシュするんです。

だから、障害がある方が今輝いていないとしたら、それは本人のせいじゃなくて環境のせいなんです。環境さえ変われば、障害があっても輝ける。

また、ぼくにとって救いだったのが、ぼくがスポーツを苦手なのって、スポーツのせいだと思うことができたことです。

ぼくが体育の授業が苦手だったのも、視覚障害者が未舗装の公道を白杖なしで歩くようなもので、もっと違う授業内容だったら、ぼくだって輝けたんじゃないか。

息子もしかりで、「目が見えないのがかわいそう」と思われるのは、視覚に頼りすぎた社会になっているからです。社会が変われば、息子は周囲からの一方的な「かわいそう」からの脱却をはかれるのではないか。

ぼくが悪いんじゃない。
息子が悪いんじゃない。
環境が悪い。
社会が悪い。
自分を責めなくていい、社会に逆ギレしていい。

これが息子の障害を発端に、つかんだ希望です。

第3章

そもそも「ゆるめる」とは何か

スポーツの社会モデル

福祉の世界には、「医療モデル」と「社会モデル」という考え方があります。

自身も脳性麻痺で、東大の准教授である熊谷晋一郎先生の言葉を借りると、「医療モデル」というのは、障害や疾病は皮膚の内側に原因があるという考え方です。足が動かない、目が見えない、発達障害で生きづらい、というのは、その人の障害に問題がある、というわけです。だからリハビリをして、「障害を治して」障害者の健常者化をしよう、という風潮が戦後の日本にはありました。

それに対して「社会モデル」というのは、皮膚の外側に問題があるという考え方です。たとえば車いすの障害者が生きづらいのは、段差がある通路をつくった社会の側に問題がある、ということ。最近ではこの「社会モデル」が優勢になってきていて、駅にエレベーターや点字ブロックが設置されることが増えました。

この考え方を知って、ぼくは「なるほど」と思いました。

今までぼくが運動嫌いだったのは、医療モデルで「鈍くさいぼくが悪いんだ」と思っていたからです。でも、これを社会モデルで捉えれば「運動が苦手なのはぼくのせいじゃない、環境が悪い」ということになります。そこからは、「じゃあ、社会をどう変えようか」という発展的な話につながるんです。

この社会モデルは、とても面白い考え方です。実際、社会インフラを整備する上で最適な解を考えるための補助線になっています。

だけど、スポーツを社会モデルで捉えなおす先行事例って、これまでは全然ないんです。「こういう社会設計をすれば、運動のできない人や運動の苦手な人も輝ける」ということを考えた人は、今までほとんどいない。まったくの白紙状態。福祉の世界って、本当に勉強になる！　と、この頃のぼくは見るもの聞くものすべてが新鮮で、時間もあるし、もう何でもやろう！　という気持ちに満ち溢れていました。よし、アスリート・ファーストのスポーツにテコ入れをするんだ。

スポーツの本質

そこで、まずはスポーツに関する文献を読み漁ったんです。

とにかく読んで読んで、スポーツの本質に立ち返ろうと思いました。

すると、近代スポーツは、20世紀になってからは特に、政治の道具として、メディアの視聴率稼ぎのネタとして、あるいは企業のマーケティングツールとして、恣意的に歪められていることがわかりました。

また、よく言われることですが、日本における近代スポーツの起源には「優れた国民を育てる」「優れた兵士を育てる」といった考えがあることも明らかです。

でも、そこからさらに遡っていくと、スポーツという言葉の語源は、「デポルターレ」というラテン語が一番有力な説となっているんです。これは、「港を離れる」という意味の言葉だそうです。「港」というのはつまり「日常」のことで、スポーツは日常から離れるもの、たとえば家族と喧嘩したとか、上司に怒られたとか、そういう日常のやっかいごとから離れるためにあるんです。

現代でも、生きているとしんどいことがたくさんありますが、昔はそれこそ戦争や飢え、病などで命を落とす危険性が今よりもずっと高かったわけで、生きること自体がけっこうしんどかったんです。それでもスポーツをやっているときだけはデポルターレする、日常を離れて、イヤなことを忘れて、瞬間の人生を謳歌しよう。それがスポーツの本来の価値なんです。そのことを知って「なるほど、やっぱりぼくは悪くなかったんだ」とますます確信しました。

スポーツや体育の時間は、本来はイヤなことを忘れさせてくれるべきなのに、逆にぼくはイヤな思いをしている。「体育脳」の価値観で社会そのものが回っている。これはどう考えても本末転倒です。

ゆるスポーツの5要件

現代は、スポーツのチューニングがズレてしまっています。だからこそ「デポルターレ」という元の音に戻したい。

で、このチューニングする作業を、ぼくは「ゆるめる」と呼んでいるんです。ギターの弦は、放っておくとゆるんでいきます。でも人間は逆に、弦がどんどん張って緊張感が高くなって、硬くなって、ちょっとした刺激で切れそうな危うい状態になってきます。だから、意識的にゆるめないといけません。スポーツ緩和です。

ここで、ぼくが新しいゆるスポーツを考えるときに、「絶対にこれだけは外してはいけない」と決めている5つのポイントを紹介します。

「ゆるスポーツなのに堅苦しい決まりがあるの？」と思われるかもしれませんが、これがけっこう大事で、何かをゆるめるためには、ゆるくないルールが必要なのです。スポーツが嫌いな人に、「このスポーツならやってもいいかな」と思ってもらえるためには、緻密な戦略と尋常ならざる工夫が必要だからです。また、ゆるスポーツは今300人ほどのスポーツクリエイターたちが関わってスポーツを開発していますので、つくるための統一ルールが必要なんです。スポーツをつくることもスポーツ、という考え方です。

「500歩サッカー」「イモムシラグビー」以外にも、世界ゆるスポーツ協会ではこれまで80競技以上のゆるスポーツを開発してきましたが、どれもすべてこの5つの要件を満たしています。

1.「老・若・男・女・健・障」誰でも参加できる。

この「老若男女健障《ろうにゃくなんにょけんしょう》」という言葉は、ぼくが勝手につくった造語です。老若男女だけじゃなく、障害のあるなしにかかわらず誰でも広く楽しめるのが、ゆるスポーツです。ゆるスポーツの現場では、お爺ちゃんお婆ちゃんも遊んでいるし、障害者も遊んでいる。すべての人が楽しく遊んでいる光景を見ることができます。誰も仲間外れにしない、孤独にしない。それが目指していることです。

2. 勝ったら嬉しい。負けても楽しい。

たまに勘違いされるのですが、ゆるスポーツはレクリエーションではありません。みんなで手をつないで、みんな1位、という世界観ではありません。ゆるスポーツもスポーツなので、勝敗ははっきりと決めます。賞状やトロフィーを用意して、その日のチャンピオンを称えることもあります。なんでかというと、スポーツの喜びを、スポーツ弱者のみなさまに届けたいからなんです。やっぱり、シュートを決めたり、チームメイトとプレイの連携がうまくいったり、試合に勝つと嬉しいじゃないですか。スポーツの醍醐味ですよね。

勝ったら嬉しいのは大切ですが、負けても楽しいことも大事にしています。特に体育スポーツって、負け方によっては傷ついて「二度とやるもんか」と思うじゃないですか。ぼく自身はそう感じました。だから、ゆるスポーツでは負けたとしても「ああ楽しかった」「次は誰か誘ってこようかな」と思える余韻をつくっています。この、「勝ったら嬉しい」けど「負けても楽しい」という、ある種二律背反した矛盾が、ゆるスポーツらしさです。

3. プレイヤーも観客も笑える。

よくアスリートが「応援してくれる人の笑顔のためにプレイしました」、などと言っているのを聞きますよね。でも、「笑顔」では人を惹きつける力がまだ足りないとぼくは思っています。どういうことかというと、たとえば公園があって、人がスポーツをしていて、笑顔があふれていたとしましょう。それでも、ぼくらスポーツ弱者は、その場に近寄らないんです。まだ警戒心を解かない。けど、もしそこから爆笑が聞こえてきたら、さすがにぼくらも気になります。おずおずと近づいていって、うっかりしたらそのスポーツをしちゃうかもしれません。笑いの吸引力はすごいんです。「笑顔＜笑い」です。

実際、ゆるスポーツ体験者から感想を募ると、一番多いのが「笑えた」です。一日に何回も怒ったり泣いたりはしたくないけど、笑いは別です。一日に何回笑ってもいいし、笑えば笑うほどいいんです。ゆるスポーツを通して、その人の人生の笑いの総数をひとつでも増やしたいと思っています。また、昭和には御法度だった「スポーツ×笑い」を実現することで、古い価値観で凝り固まったスポーツから、蚊帳の外に追いやられていた人を、スポーツの中にもう一度入れていきたいんです。

4. 第一印象がキャッチー。

人と同じで、スポーツも第一印象が9割です。スポーツの第一印象とは何でしょうか？ぼくは、スポーツ名と、そのスポーツをしているシーン（一枚絵）だと思います。だから、ぼくらはスポーツに「ベビーバスケ」とか「ハンぎょボール」とか、「何それ？」ともっと詳しく聞きたくなるような名前をつけています。また、ベビーバスケだと全員エプ

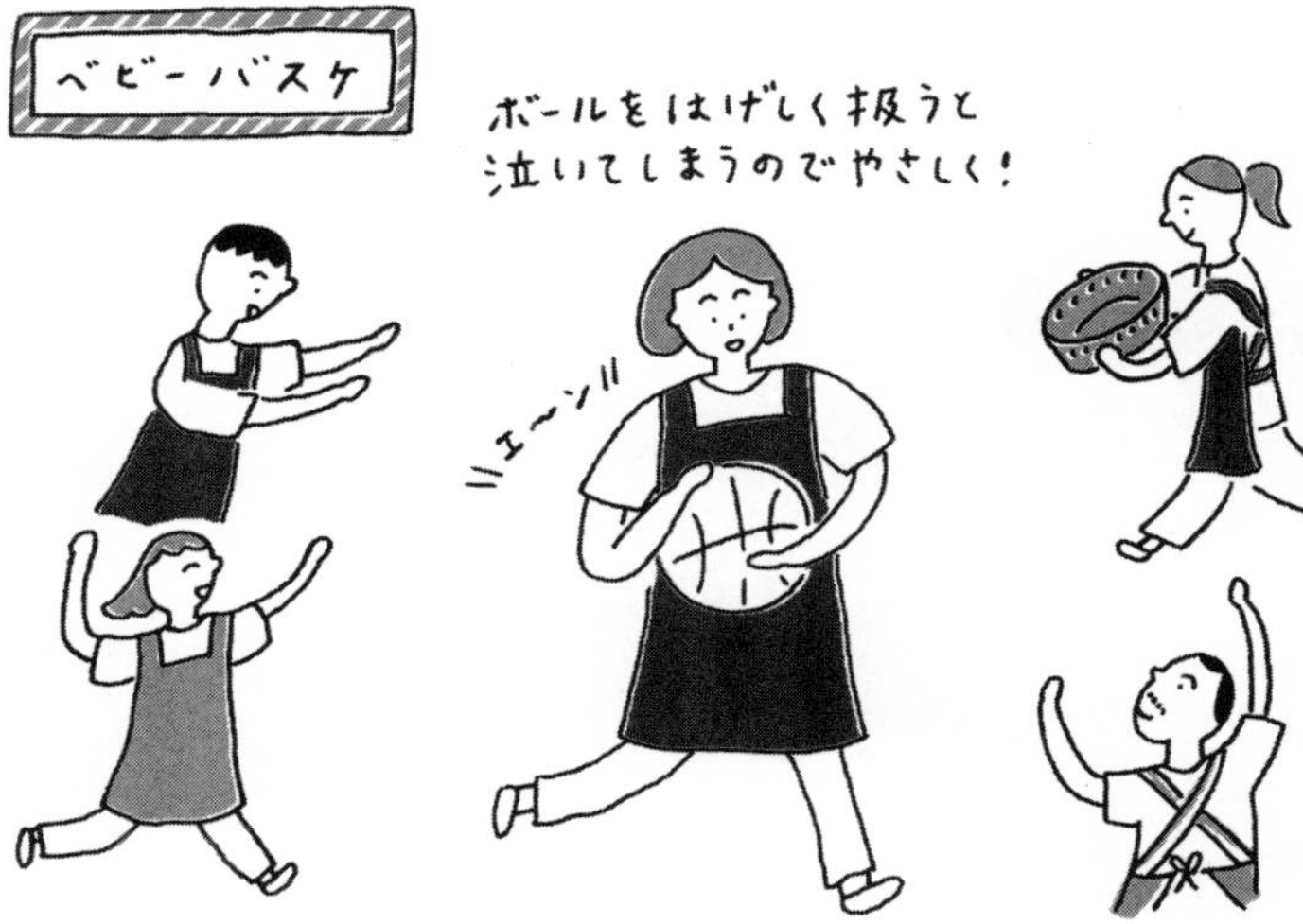

バスケ選手の「ドリブルがうまい」「ダンクができる」能力が活かされないスポーツです

ロンしていて、ゆりかごを持ったシッターというプレイヤーがいたり、ハンぎょボールだとブリのぬいぐるみを抱えてプレイしたりと、それぞれのシーンも実におかしく仕上がっています。こうした、キャッチーな第一印象をつくることも、スポーツ弱者の記憶に残るために大事なんです。

5. 何らかの社会的課題の解決につながっている。

本書を読んできた方には説明するまでもありませんが、新しいスポーツをつくることそのものが目的ではありません。ゆるスポーツで、スポーツ弱者というマイノリティを減らすことがゴールです。スポーツ弱者が減らないスポーツはつくりません。また、最近では「高齢者の健康促進」「地域の盛り上げ」「企業テクノロジーの再活用」など、多様な目的のために、ゆるスポーツをつくることも増えてきました。つまり、「とりあえず何でもいいからスポーツをつくろう」とは思っていないんです。ゆるスポーツを通じて、今よりもいい景色をひとつでも生み出せるかな？　と思ったときに、ようやくスポーツ開発をスタートします。このように、ちゃんと一つひとつのゆるスポーツに「使命」を背負わせるようにしています。その方が、つくるモチベーションが上がるし、一回つくったスポーツを大切に育てたくなるからです。

世界ゆるスポーツ協会のミッションは、「スポーツの力で、世界をゆるめる」ことです。閉塞感があって、排他的で、硬直した今の世界を、ＰＯＰにゆるめたい。

スポーツをゆるめることで、今まではスポーツが苦手だった人たちや、障害があってスポーツを楽しめなかった人たちが、スポーツの世界で活き活きと活躍してほしいんです。また、スポーツという本来的にはとっても楽しいものを通じて、体感的に、直感的に、世界そのものを愉快にしたいのです。

試合中、競技者全員で笑いあって、初対面の人たち同士が肩を組んでいるような、そんな光景がゆるスポーツの現場では今日も生まれています。

「ポジゆる」と「ネガゆる」

ぼくなりに「ゆる」という言葉を定義すると、「あっち行け」ではなく「こっちおいでよ」。難しい言葉で言えば「排除」ではなく「包摂」ということです。

コチコチに硬直している何かを、ちょっとだけ崩したり、再編集したり、新しい発明を加えたり、選択肢を増やしたりしていく。そうやって何かをゆるめることを、ぼくは「ゆる化」と呼んでいます。英語では〝YURULIZATION《ゆるライゼーション》〟です。海外の方から必ず〝What?〟と聞き返されますが(笑)。

みなさんは「ゆる」と聞いて、何を連想するでしょうか？　一番初めにくるのは、やはり「ゆるキャラ」ですかね。ひこにゃん、ちぃたん、さのまるなど、どれもかわいいですよね。でも、ぼくの思う「ゆる」は、「ゆるキャラ」の「ゆる」とは違います。「ゆる」とは、包摂、平和、自由、多様性、平等、クリエイティブなど、本当にいろんな意味が内包されている、すごく分厚い定義の言葉なんです。

それが世間一般では「ゆるキャラ」の影響で、チープ、ロークオリティ、何でもあり、みたいなイメージになってしまっています。ぼくの感覚では、それは「ゆるい」ではなく「ぬるい」です。

「ゆる」には、いい「ゆる」と、悪い「ゆる」、「ポジゆる」と「ネガゆる」があるんです。今みんなが抱いている「ゆる」は、「ネガゆる」です。「ネガゆる」とは「まあ適当でいいじゃん」「何でも許されるよね」「とりあえず何かやっとけばいいんじゃね?」みたいなたるんだ状態のことです。

「ゆるキャラ」はかわいいですし、そのことで地方が盛り上がる効果を否定するつもりはありません。それはそれで必要だと思いますが、もともとゆるい状態に「ゆる」を加えても「ネガゆる」しか生まれません。

「ポジゆる」は逆で、ガチガチに固まっているものに戦略的に「ゆる」要素を加えていくことで生まれるものです。停滞していたり、行き詰まっていたり、タコツボ化している場所に「ゆる」を混ぜると、ビーカーに沈殿していたおりみたいなものが攪拌《かくはん》されて、再び動的な状態になるのです。その過程で、今までそこから排除されてきた人たちがどんどん入り込んできて、新しい秩序が生まれていく。

そのことを体現しているのが、ゆるスポーツです。

「ゆる」は能動的な、攻めの働きかけです。それがぼくの言う、ゆるめる、ということです。

ざっくり体操

ぼくたちは、新しい体操「ゆるサイズ」もつくっています。ゆるスポーツを始める前の準備体操で、身体と気持ちをほぐすためです。体操って、すごく大事なんです。ゆるスポーツのイベントで、ぼくが冒頭の体操を担当するときは「ざっくり体操」というものをやってもらいます。

これは、ぼくが壇上からざっくりした指示を出して、参加者のみなさんがそれに従ってざっくり身体を動かすという体操です。

モーツァルトがゆるやかに会場に響き始めたらスタートです。最初は、身体の部位から始めます。たとえば「はい、肩～」とだけぼくが言います。するとみなさん一瞬戸惑うのですが、勝手に指示を解釈して、それぞれ肩を動かしはじめます。肩をまわす、ひねる、ねじる、さわる、なんでもありです。

次に「足首～」「手首～」「腰～」みたいに、どんどんほぐす部位を変えながら、みんなバラバラに、思い思いに身体を動かしてもらう。途中で意味もなく笛を吹いてみたりもします。壇上にいる人の様子がおかしいって大事なんですね。「あの人ちゃんとしてないから、別にあの人に従順に従わなくていいんだ」となります。そのざっくりした、ゆるい空気が

ざっくり体操
みんな思い思いに
身体をうごかします
はい、
昭和〜

「はい、にゃ〜ん」と指示を出したら、猫になったまま戻らなくなった人がいました

とてもいいんです。「尾てい骨〜」とか言うとみんな笑っちゃうんですよ。「え、尾てい骨って何？（笑）」みたいな。

これまでの体操はやっぱり硬いんです。みんな規律を守って、同じ動きをするのが体操だと思っている。だからこそ、ゆるスポーツの現場では、意表をついて体操もゆるいんです。「肩」とか「足首」ならまだしも、中盤からは「昭和〜」とか「上下〜」とか「畳んで〜」とか「にゃ〜ん」みたいな、抽象的な指示も出します。もうメチャクチャです。正直、ぼくもその場の思いつきで言っています。こちらのざっくりした号令に合わせて、みなさんなりに自由を楽しんでほしいんです。

ざっくり体操をつくるときに、ラジオ体操という誰でも知っている、ゆるくない体操があるので、それをどうやったらゆるめられるかを考えたんです。

「ラジオ体操から排除されている人たちとは誰だろう?」と考えると、肩が上げられない人、お年寄り、立ち上がれない人、身体にマヒがある人……などなど、たくさん思いつきますよね。ラジオ体操でみんなが同じ動きをしているときに、ひとりかふたりだけ同じ動きができないと疎外感が強いし、とても孤独や孤立感を感じるそうです。だから、「どうやってラジオ体操をゆるめるか?」を考えたとき、「全員がばらばらに動けばいいんだ」という発想になったんです。

じゃあ、どうすればみんながばらばらに動きだすのか? ぼくはこう考えました。ざっくり体操で、みんなから逸脱している動きをしている人がいたら、むしろ褒めようと。以前、「はい、押して~、押して~」という指示を出したときに、腕立て伏せをしていた人がいたんです。この「押して~」=腕立て伏せっていう発想、すごくないですか? 「そちらの方、なんと地球を押しています! はい、みなさん拍手~!」みたいに、逸脱した人をどんどん褒めるんです。そうすると、みんな安心してはみ出すことができる雰囲気になっていくんです。

こうやって、準備体操の段階からゆるスポーツのコンセプトを伝えます。この場ではみんなが同じルールを守ることや、そのルールの中で他人を蹴落とすことが大事なんじゃない。全員が違った状態のまま共存できる場なんだ、ということ。「肩~」に合わせた自分の動きと隣の人の動きは違うけど、違っていてもいい、むしろ違うからこそいいんだね、ということが参加者に伝わっていくんです。そうすると、それだけで楽になるんですよ。あなたはあなたでいいんです、みんな違ってみんな正解だからね、ということが参加者に伝わるんです。

自分なり体操

ざっくり体操以外にも、「ゆるササイズ」のバリエーションはたくさんあります。たとえば「自分なり体操」というのがあって、コンセプトはざっくり体操と同じなんです。みんなで足なみを揃える時代じゃないから体操でも自分らしさを出していい、という想いでつくりました。この「自分なり体操」は、静岡県の学校で、実際に導入されています。

「自分なり体操」では、まず自分なりに好きな動きを6つ決めます。たとえば肩をほぐしたい人は、肩回しを。足首をほぐしたい人は、足首をブラブラする、と専用の用紙（左図参照）に記入します。6つの動きで全身運動になるようにしたら、次は動きの順番を決めてもらいます。そうしたら、教室の机を片づけて、体操が始まります。

歌が流れて、その歌詞の中で「ひとつ目の動き～」「3つ目の動き～」という指示が出

自分なり体操

名前

これは、自分なりに6つの動きとその順番を決めて、音楽に合わせて一つずつ体を動かす体操です。
4つの動きは、以下を取り入れてください。

イヤイヤ

まるで子供が「イヤイヤ」をするかのように、両腕をぐるぐると前に回す。しばらくしたら後ろ回し。

ボディウェーブ

両腕は左に伸ばし、そのまま振り下ろして右側にピンと伸ばす。今度は逆に右から左へ。全身で波を表現。

ハイキック

右足と左足、交互にキック。右足で右手、左足で左手を触る。

伸びてダラーン

両腕を上に伸ばし、そのまま脱力しながらしゃがむ。

自分なりに、残り2つの動きを考えてください。名前もつけてください。

自分なりの動き

自分なりの動き

自分なりに6つの動きを並べてください。

①

②

③

④

⑤

⑥

るので、その歌詞に従ってそれぞれが自分が記入したとおりに身体を動かします。最初は6つの動きを順番にやっていくのですが、後半は順序がランダムになったり、音楽がペースアップしたりします。そうすると、今までの体操とは全然違う、それぞれがランダムに動く光景が生まれるんです。音源は下のＱＲコードからダウンロードできるので、ぜひご自宅や職場でやってみてください。

この「ゆるササイズ」だけでも、「ダジャレクササイズ」や「泥棒太極拳」など、他にもたくさんの種類があるのですが、ここでぼくたちが伝えたいことは「体操って、ラジオ体操がすべてじゃないでしょ」ということなんです。

ラジオ体操は、体操としてとてもよくできているんですが、やはり同じ動きができない人たちにとっては疎外感が大きいんです。なので、ぼくたちは新しい包摂的《インクルーシブ》な体操をつくりました。できない人や、ついていけない人がいても、紛れて目立たないような体操。統一感があるようでばらばら、多様性というより個々の雑多性がピカピカ輝いているのが、理想的な世界です。

ぼくが「ざっくり体操」で曖昧な号令をかけると、みんながざわざわする（笑）。この、常識が一瞬揺らぐ感じがとても快感なんです。

ゆるスポーツは「スポーツ」と銘打ってはいますが、目指すものは競技スポーツのように「より速く、より高く、より強く」ではなくて、「より面白く、人間くさく」なんです。この「人間くささ」を取り戻す作業が、なにより大事なんですね。それは、面倒くささや、異質なもの、それらを許容する心を取り戻そうということです。今は臭いがしない、無味無臭無菌社会だから、ゆるライゼーションで、もう一度人間をちゃんと人間くさくしたい。つまりは、ぼくらなりのヒューマニズムを取り戻したいんです。

メロディ未定曲

また、「YURU ANTHEM《ゆるアンセム》」と言って、スポーツ前に歌う合唱曲のようなものをつくりましたが、これももちろんゆるい。歌があって、歌詞もちゃんとあるんですが、メロディがないんです。正解がないから、もうそれぞれのメロディを口ずさんでいい。そもそも、メロディって決まってる必要があるのかな？　と前提を疑ったのと、ぼくの脳裏に浮かんだのは、歌が不得意だった同級生です。彼は、音楽の授業で、合唱のときに口パクをしていたんです。「なんで？」と聞いたら、「ひとりだけ調子ハズレの歌を歌ったらバカにされちゃう」という答えが返ってきたことを、今でも覚えていたんです。だったら、歌がうまい人、正解をなぞれる人が、そこにいない世界観をつくりたかったんです。

はじめてこの「メロディ未定曲」を披露したとき、ゆるスポーツメンバーが、「大学の入学式で、聞いたことがない校歌をいきなり歌う感じ」と表現していて、言い得て妙だなと思いました。みんなが同時に戸惑うからこそ、誰も排除しない。普段は歌がうまいあの人も困るからこそ、その場がゆるむ。

個人平和と瞬間平和

ゆるスポーツの現場にはいつも、ヒッピー・カルチャーのクリーンなところだけを抽出したような空気があります（笑）。綺麗事ではない、LOVE&PEACEな空気。それぞれが、らしさを存分に発揮している、個人平和（パーソナル・ピース）が実現された状態です。

ぼくが生きている間には、きっと世界平和（ワールド・ピース）は実現できないでしょう。そこは半分諦めています。しかし、個人平和（パーソナル・ピース）と瞬間の平和（インスタント・ピース）だったら、実現できるかもしれない、と考えています。ゆるスポーツをプレイしているその間だけは、すごく平和です。命の危険がなくて、お腹が満たされていて、喉の渇きもなく、熱くも寒くもなく、そばに仲間たちがいて笑いが絶えない。たとえば宿題やケンカ、営業成績など、そういった日常のイヤなことを束の間だけど忘れていられるんです。

「ビッグマウス、スモールアクション」という標語をぼくは掲げているのですが、大きな目標を掲げることと、小さなアクションを起こしていくこと、この両方が大事だと思います。「あらゆる世界をゆるめるんだ」というのはビッグマウス。対になるスモールアクションとして、目の前の小さな世界をゆるめる具体的なスポーツやイベントを多産して、コツコツと発表しています。結果、個人平和や瞬間平和が、そのスポーツなどをしている5分とか10分だけ生まれる。でも、その平和が集積していった先に、これまでの生きづらい世界にヒビが入り、一気に時代の流れが変わるときが来ると思っています。

第4章 「ゆるライズ」してみよう

ゆるめるための4ステップ

ここからは、どうやってガチガチなものをゆるめるか、その具体的な方法を説明していきます。ぼくの好きな言葉は「手のうちをぜんぶ明かす」です。だから、ぼくなりにまとめてきた秘伝のレシピをフル公開します。

では、みなさんがまだ体験したことのない、魅惑的な「ゆるライズ」の世界へと入っていきましょう。大きく4つの順番で進めていきます。

1. 自分が排除されているものをさがす（課題抽出）
2. そのものの本質を見直す（本質定義）
3. なぜ排除されているか「非ゆる」をリスト化する（課題分解）
4. 本質を残したまま非ゆるをつぶす（ゆる化）

これだけです。ぼくとスポーツを例にとって、一つひとつ進めていきましょう。楽しいですよ。なにせ、この作業をすればするほど、生きやすさが増しますから。では、さっそく始めましょう。

1．自分が排除されているものをさがす（課題抽出）

どんなに人生が順調でも、どんなに自分がマジョリティで強者だと思っていても、苦手なものや敬遠しているものってありますよね。普段生活をしていると、そういったものは見ないようにすることもあるでしょう。でも、何かをゆるめるために、あえて自分は何が苦手か、自分は何から排除されているか、を思い出してみましょう。

「自分はいつでも誰とでもうまくやれる」と思った人も、ためしに5つ、強引にでもいいから、ちょっと苦手だなと思うものや空間、ストレスを感じる場面をリストアップしてみてください。

ぼくの場合、人生で苦手なのは、スポーツ、立食パーティー、キャンプ、相手の目を見て話すこと、偉い人がいてみんながその人に気をつかっている空間、です。あと1000個くらいあるのですが、一旦はこれくらいにしておきます。

2. そのものの本質を見直す（本質定義）

ぼくが排除されていると感じる、スポーツについて考えてみます。スポーツにどんなイメージがあるでしょうか？　オリンピックやW杯、甲子園、体育、ストイック、血と汗と涙……。で、今から大事なことを言います。

このイメージにはまどわされないでください。

イメージは、あなたがそのものに抱いている印象です。事実とは異なります。また、多くの場合そのイメージは、それをつくっている人がいるのです。サンタクロースが赤いのはコカ・コーラ社が仕掛けているし、体臭が罪な気がするのは香水やデオドラントメーカーが仕掛けています。

イメージという名の魔法を解きましょう。解いてみて、本当はそのものとは何だろう？を考えてみるのです。

スポーツの場合、もとは「息抜き」だったものが、特に日本では軍事目的で歪められて、とんちんかんなことになったのはすでに書いたとおりです。

このとき、スポーツの本質を自分なりに再定義するために、ぼくは言葉にしてみました。

スポーツとは、「身体性を伴い、勝敗がはっきりと決まるリアルファンタジー」である。

この定義が正しいかはわかりませんが、ぼくの中では腑に落ちています。

スポーツというからにはそれなりの運動強度が欲しいし、ちゃんと勝ち負けの白黒はつけたい（その方が没入感が増して、結果的に息抜きにつながるからです）。

さらに、スポーツはファンタジーです。「ここからここまでしか動いちゃいけません」とか「前後半45分ずつです」とか「ドリブルをしていないと動けません」というのは、自然物ではありません。人工的につくられたものです。だからファンタジー。

でも、ただのファンタジーじゃありません。身体性を伴うので、その中に入ると、汗をかいたり、疲れたり、肩甲骨がほぐれたりします。リアルなんです。だから、その中で得た友人は、現実世界でも引き続き仲良くなる可能性があるし、その中で得た自信は、現実世界にも活きることがある。

だから、ぼくの中でスポーツの本質は「身体性を伴い、勝敗がはっきりと決まるリアルファンタジー」です。

どうでしょう？　定義は人それぞれでいいと思いますが、ポイントは自分が腹の底から納得がいっているかどうかです。

ちなみに、本質を見直すと、必ず起こることがあります。

「あれ、スポーツって思っていたより守備範囲が広いな」

「今までイメージを持っていたスポーツって、スポーツの一部だったのかもしれない」というように、定義がぐわんと広がります。これをぼくは、概念のストレッチと呼んでいます。概念は時間の経過と共に、人の手が加えられれば加えられるほど狭まります。だから、意図的にゆるめることが必要なのです。すると、「手を加えてもいい余地」という隙間のような場所が現れます。ということで、あんなにガチガチだと思っていたスポーツが、実は広いフィールドで、いろいろと改造してもいいことがわかりました。次にいきましょう。

3．なぜ排除されているか「非ゆる」をリスト化する（課題分解）

また楽しいパートがやってきましたね。自分を苦しめている呪縛の正体を暴いていきましょう。それは、ドラキュラを白日のもとにさらして、消し去ることに似ています。呪縛も、スポットライトを当てれば怖くない。

ぼくはスポーツから排除されて生きてきたわけですが、自分なりにスポーツの本質を見つめると、どうやら現代のスポーツに非があるんじゃないかということが見えてきました。ではつづいて「スポーツの非ゆる」要素、つまりなぜぼくはスポーツが嫌いかをなるべく細かく分解していきます。すると、出てきました出てきました、細かな非たちが。

◎用具をうまく扱えない
◎勝ちパターンに乗れない
◎経験者との格差がイヤだ
◎ミスが怖い

まずは、「用具をうまく扱えない」。たとえば競技によってボールが違うのってなんでだろう、といつも思っていました。サッカーボール、バレーボール、バスケットボール。重量や素材が違うそれぞれのボールと仲良くなるのって、無理じゃないですか？　あと、ゴルフっておかしくないですか？　あんなに小さなボールをあんなに小さなホールに入れるとか無理じゃないですか？　既存の用具は、ぼくにとってハードルが高いのです。

つづいて、「勝ちパターンに乗れない」。どういうことかというと、近代スポーツというのは、シンプルに言うと勝ち方が3つしかないのです。より速いものが勝つか、より高いものが勝つか、より強いものが勝つわけです。ぼくは速くもないし高くもないし強くもないので、永遠にどのスポーツでも勝てないんです。

そして、「経験者との格差がイヤだ」。なんかスポーツって、若いうちに始めた人がけっこう有利じゃないですか。部活に入ってる人とか。で、体育というフラットな授業で、そういう経験者と交わるわけですよね。すると、もうスタートラインが違うので、永遠に追いつけないですよ。経験者がそこにいると、教える者と教わる者、というヒエラルキーが生まれて、それは学校を卒業しても、30年後に同窓会で再会してもうっすらと残る境界線になりますよね。だから、経験者との格差もぼくをスポーツ嫌いにした大きな理由です。

最後はこれです、「ミスが怖い」。いやもうこれが最大の理由かもしれないです。バレーで簡単なレシーブを失敗したときの同級生たちのため息。サッカーでシュートを外したときの誰かの笑い声。野球で空振りしたときの、上級生からの説教。もうね、スポーツでミスをすると、地獄に叩き落とされるわけですね。「ミスした人」というスティグマをべったりと全身に貼られる。なんだこの苦行はと。たかがスポーツなのに！　とずっと思っていました。

このように、漠然と「スポーツが嫌い」ということを分解して、スポーツの何がゆるくないか、つまりスポーツの「非ゆる」はなんだろうと細かく観察をして、言語化をしていくと、だんだんと敵が見えてきました。これは、デカルトが「困難は分割せよ」と言ったことにヒントを得ています。心霊映画に出てくる除霊作業にも似ていますよね。姿が見えなかった霊が、だんだんと「誰か」「何が無念で、誰を恨んでいるのか」「何が晴れれば成仏できるのか」と明かされることで、初めて攻略法は見出せます。

4．本質を残したまま「非ゆる」をつぶす（ゆる化）

いよいよ来ました、ゆるライゼーションのクライマックスです。「身体性を伴い、勝敗がはっきりと決まるリアルファンタジー」という、自分なりのスポーツの本質は残します。その上で、自分なりのスポーツの「非ゆる」要素をゆるめて、自分が好きなスポーツをつくっていくのです。

今回は4つの非ゆる要素を抽出しましたが、これらすべてをゆるくするひとつのスポーツをつくってもいいですし、ひとつの非ゆるにつき、ひとつの新しいスポーツをつくってもいいです。せっかくなので後者で紹介します。

みんなを下手にする

まずは、「用具をうまく扱えない」というスポーツのゆるくない問題。これに着手しましょう。どういうやり方があると思いますか？　実はいろいろあるんです。

たとえば、自分がうまく扱える日用品をスポーツ用具に転用する、という考え方があります。そうすると、自分が有利な用具ができる可能性がありますよね。

ちなみに、実際ぼくら世界ゆるスポーツ協会がとった手は、この逆のアプローチです。「誰もうまく扱えない用具をつくる」ことです。これなら誰もがミスを連発するため、ぼくがミスしても目立ちません。

開発したのは、「ハンドソープボール」というスポーツです。ハンドボールがもとになっていて、手でボールをパスして、手でシュートします。ハンドボールとの違いは、スポーツ用のハンドソープがあることです。

試合前、全選手が手にハンドソープをつけます。つまり、全員の手が冗談みたいにツルツルになります。


さらに、試合中にボールを落としたり、ファウルをすると、「アディショナルソープ」といって、ハンドソープを手に追加しなければいけません。

ボールはツルツル、手もツルツル。ハンドボール経験者も、ハンドボール未経験者も、みんながまるでウナギと戯れるかのごとく、あたふたとボールを運びます。そこにうまい人なんていません。笑いが溢れかえります。

ハンドソープボールは、「身体性を伴い、勝敗がはっきりと決まるリアルファンタジー」

ハンドソープボール
ハンドソープをつけてプレーします
HAND SOAP BALL
つる〜〜ん
ボールを落とすとアディショナルソープ！
誰かがボールを落とすたびに、審判の「ワンソープ！」というコールが会場に響きます

です。つまりぼくの中ではスポーツの定義にちゃんと当てはまっています。その上、ぼくだけ「用具をうまく扱えない」を、全員を下手にすることでクリアしています。

実はこのゆるスポーツ、ぼくが人生で初めて生み出したスポーツです。社会の反応はどうかな……とドキドキしたのですが、2015年6月に初めて体験会を開催したときに、スポーツが苦手だという方も大勢来てくれて、心から嬉しくなりました。その中には、赤ちゃんを背負ったまま来たママもいて、「私スポーツ苦手なんだけど、これならやりたい！　と思って来ちゃったんです」と興奮気味に語ってくれました。

ちなみに、通常のハンドボールでは、試合前にすべりどめの「松やに」を塗るので、あえてすべりやすくするハンドソープと真逆の考えです。また、ハンドボールをつくっているモルテンは、年々ボールの溝を深くしています。その方が選手がボールをつかみやすいからです。でも、そうなるとハンドソープボール的には、ボールが滑りづらくなってしまうので、一昔前の、溝が浅いボールを活用しています。このように、「みんなが上手に扱えないスポーツ用具をつくる」というコンセプトをスポーツに加えると、見事に既存スポーツとは逆路線をいくことになります。これなら、スポーツ用具をうまく扱えないぼくもあなたも安心なのです。

新しい勝ち方をつくる

つづいて、「勝ちパターンに乗れない」というスポーツの側面をゆるくしてみます。ぼくは「より強い、より速い、より高い」という勝利3原則のどれにもあてはまらない、という話でした。力が弱いし、足も遅いし、ジャンプが低い人間だからです。だったら話は簡単で、新しい勝ち基準をつくってしまえばいいんです。そのとき仲間になるのがテクノロジーです。時計というテクノロジーが精緻化することで、陸上競技が花開いたように、新しいテクノロジーは新しい度量衡を生み、新しいスポーツを生むのです。

そこでぼくらがつくったのが、「顔借競争」というゆるスポーツです。

顔借競走
顔貸してください！
75点
自分と顔が似ている人を探し声をかけ、
ペアになってゴール！

得点が高い（顔が似ている）と、お互い他人と思えなくなり、妙に仲良くなります

昔、借り物競争という競技が、運動会にあったのを知っていますか？　ぼく自身、実際にやったことはないのですが……又聞きした内容をもとに説明します（笑）。ルールとしては、スタートして少し走ると、札が裏返しになって置いてあります。それをめくると「弁当箱」とか「ビニールシート」とか書いてある。で、「お弁当箱貸してください！」と言いながら観覧席に向かい、無事にものをゲットしたらゴールする競技です。ユニークな競技ですよね。すでにゆるスポーツっぽいです。

で、顔借競争は、その顔バージョンです。スタートの合図と共に、走り出します。そして、自分ともっとも顔が似ている人を、自分の判断で探します。

この人かな？　と思ったら、「顔貸してく

ださい!」と一声かけて、ペアになってゴールします。ちなみに90秒以内にゴールできなかったら、その時点で失格です。で、どうやって勝敗を決めるのか? ここにテクノロジーが介在しているんですね。

ゴールでスタンバイしているのは、NECの顔認証技術です。世界最高精度、最高速度で顔を認証できるトップテクノロジーです。これによって、顔のパーツの形状や、位置情報といった特徴をもとに数値化できます。あとはふたりの一致率を見て、100点満点中何点ぶん似ているかを数字で表してくれます。

このゆるスポーツでは、前出した「速い、強い、高い」という能力はあんまり関係ありません。それよりは「自分と似た人を探す能力」が求められます。これなら、今あるスポーツの「勝ちパターンに乗れない」としても、勝てる可能性が十分にあるのです。

ちなみに顔借競争のいいところは、顔があれば誰でも参加できることです。車いすやストレッチャーに乗っていても、押してくれる人がいれば顔アスリートとして参加できます。また、性別や肌の色も関係ありません。とってもユニバーサルで平和なスポーツなので、ぼくもとても気に入っています。

このように、テクノロジーのアシスト力を借りながら、20世紀にはなかった新しい価値基準を発明できれば、スポーツ弱者でも、スポーツ強者に勝てるチャンスが大いに出てきます。

経験者を不利にする

さて、3つ目の非ゆるは「経験者との格差がイヤだ」でしたね。もう思い出すだけで本当イヤ（笑）。ちなみによくやりがちなのは、「女性がゴールを決めたら得点倍」というルール決めです。これね、一番やってはダメです！　なんでかというと、ぼくも小学校のときにやられたことあるんですよね。「澤田が決めたら倍ね」と。これ、ぼくはけっこう傷ついたんです。ルールがフェアじゃないですよね。経験者との格差はイヤだ。だけど同じ条件のもと、フェアに戦って勝ちたいじゃないですか！

そこで、ぼくらが考えたのが、シュートを決めれば決めるほど不利になるスポーツです。その名も「ハンぎょボール」。ブリを小脇に抱えてプレイする、ハンドボールです。ブリを抱えている方の手で、パスしたり、シュートしなければいけません。

実はブリは出世魚なんですね。だからこのスポーツ、シュートを決めるとブリが出世します。つまり巨大化します。プレイヤーの動きがどんどん制限されていくんです（笑）。さらに、ブリを落としたら「冷蔵庫」というファウルで、相手がシュートを決めるまで冷蔵庫で待機《フリーズ》してなければいけません。ペナルティが重い！

シュートが決まったら、チーム全員で「出世！」と叫ぶのが愉快です

つまりですね、このスポーツはとってもフェアなんです。シュートを決めたら脇のブリが大きくなる、という制約は同じ。だけど、経験者ほど不利にできているんですね。ちなみにこちらは富山県の氷見市といっしょにつくったスポーツです。氷見市はブリが有名で、もっとPRしたい！　ということで誕生しました。たくさんメディアにも登場している人気スポーツです。

このように、女性だったら得点が倍とか、初期設定でいびつなバランスを入れるのではなく、経験者のプレイに応じて能力差をなくすよう、フェアに設計する。だからこそ、このルールの中でスポーツ弱者が勝ったりすると、素直に嬉しいわけです。

ミスをすると褒められる

最後は「ミスが怖い」という非ゆる要素のゆる化です。これもいろいろとやり方はあるのですが、ぼくらが試したのは「ミスをすると褒められるスポーツ」です。完成したスポーツは、「ブラックホール卓球」。ラケットの中央にブラックホールが空いています。これは、プロの選手ほど、ラケットの真ん中で打つという情報を聞いたので、だったらくり抜いてしまおう、という無邪気な発想でつくられたスポーツです。

もしボールがブラックホールを通過したら、それは「空振り」ですので、相手に1点が入ります。だけど、ボールがホールをスポッと通過する様子が、とっても美しいんですね。芸術そのものです。

だから、その瞬間は敵味方関係なく、お客さんも一緒になって「ナイスホール！」と叫びます。大喝采です。失敗したはずなのに、妙に嬉しくなります。ふと気づくとガッツポーズなんかしちゃう。そうすると、失敗を重ねたとしても、「今日はずいぶんと喝采を浴びたな」という余韻が残ります。もう失敗は怖くありません。このようにミスを、会場全

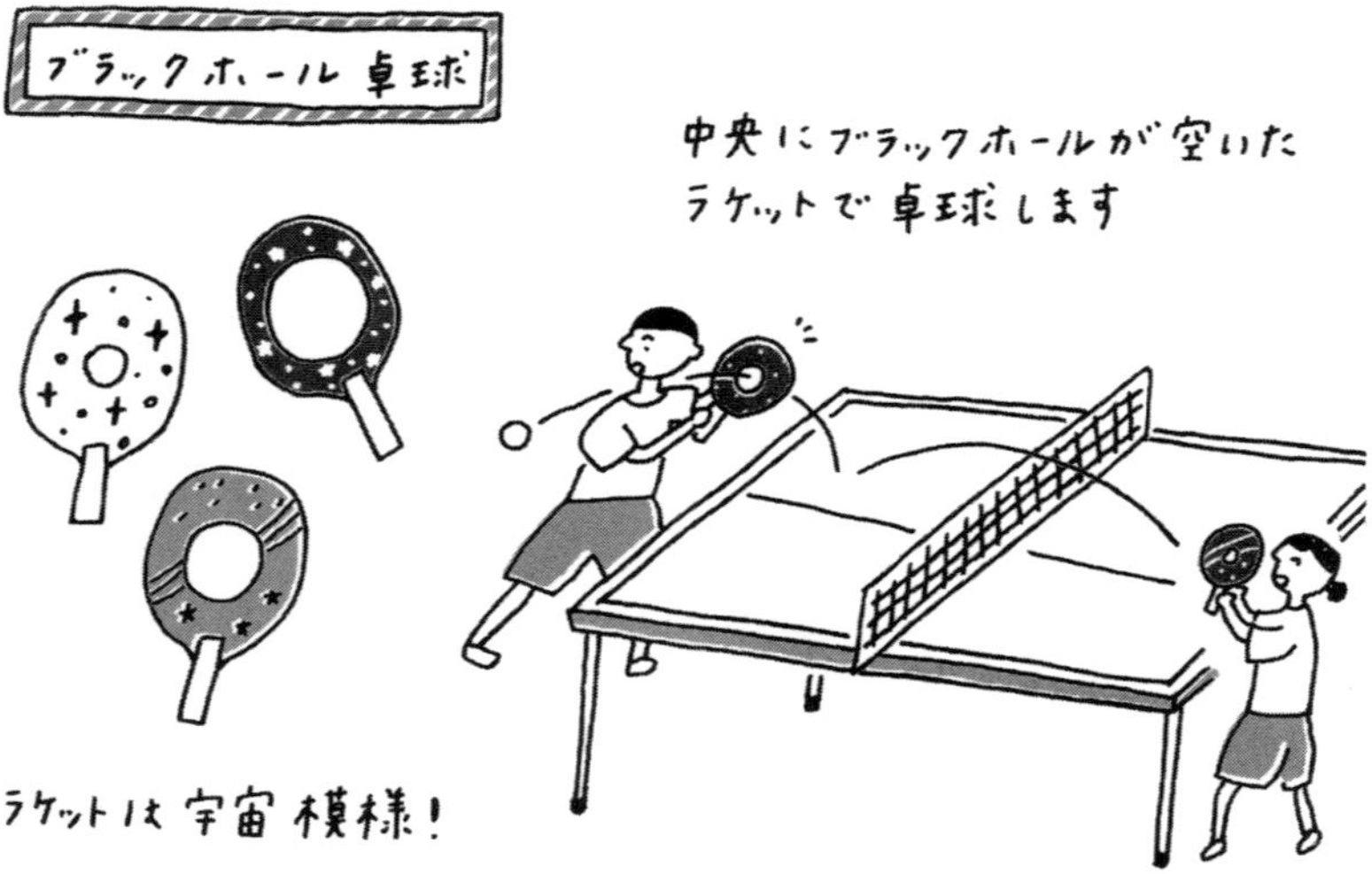
ブラックホール卓球
中央にブラックホールが空いた
ラケットで卓球します
ラケットは宇宙模様！
ボールも宇宙デザインなので、まるで宇宙空間にいるような気持ちになります

体で大肯定する、という設定を入れることで、失敗が怖くなくなります。

スポーツのゆるライゼーション、いかがでしたでしょうか？　お見せしたように、そのものの本質は見失わず、だけど左足で大胆にピボットしながら、ぐにゃぐにゃにゆるめていく。それはね、ゆるめていいんです。「スポーツを改造しちゃダメ」なんて法律はありません。苦手なものを、ゆるくして、変形させて、自分のお気に入りになるまでつづけるんです。人生変わります、本当に。ぼくは今ではスポーツが大好きなんですよ。

あと、とにかく脳味噌をもみほぐすのが大事なんです。「これはやりすぎかな」「大胆すぎるかな」とアイデアにブレーキを踏まずに、とにかく考えている間はアクセルを踏みつづける。先入観に囚われずに、脳を最大限にやわらかくしておく。そうすることで、社会をもみほぐせます。

立食パーティーのゆる化

もうひとつだけ、ゆるライゼーションの例をあげます。

ぼくはスポーツと同じくらい「立食パーティー」があまり得意ではありません（というか、好きと言う人に今まで会ったことがないのですが……）。

そこで、「どうやったら立食パーティーを楽しめるかな？」「立食パーティーの何が苦手なんだろう？」を、今アドリブで考えてみます。よければ一緒に考えてみてください。

1．自分が排除されているものをさがす（課題抽出）

これは、立食パーティーですね。

2．そのものの本質を見直す（本質定義）

ここで、「立食パーティー」という本質はぶれさせないのが、ゆるライズの肝でした。

何でもアリになってしまうと拠り所がなくなってしまうので、「立食パーティー」の本質は右足として固定しておき、だけど左足は自由に動かして、アイデアを探っていきます。立食パーティーが立食パーティーである理由、それはやはり参加者の流動性ですよね。人や情報の流動性が生まれることによって、いろんなチャンスと巡り合う確率が上がる。じゃあ、その立食パーティーの本質的な要素を満たした上で、他の部分をゆるめていきましょう。

3. なぜ排除されているか「非ゆる」をリスト化する（課題分解）

立食パーティーのどこがゆるくないのか。スポーツの例であげたように、「非ゆる」の細分化を行います。すると、ぼくが立食パーティーが苦手な理由は大きく2つあることがわかりました。

◎居場所を見つけるのが苦手
◎話が盛り上がっているときに、みんなが名刺交換を求めてくるのがイヤ

ということです。では、それを払拭するための新しい作法は何だろうか？　ということを考えます。

4．本質を残したまま非ゆるをつぶす（ゆる化）

居場所を見つけるのが面倒なら、居場所が指定されている立食パーティーはどうだろうか？　とか、名刺交換がイヤなら、名刺の持ち込み禁止にしたらどうだろうか？　とか、そういう発想から始めていきます。

また、頭で考えるのではなく、次は、情景《シーン》を描くんです。目を閉じて、立食パーティーの情景を具体的に思い浮かべてみてください。

居場所を指定したらどうするかな？　みんなの立ち位置が固定されている立食パーティーってどんなのだろう？　と想像して、現実に落としていくんです。

そこに矛盾が生じていないかとか、はたしてそのゆるライズされた立食パーティーで自分は本当に自分らしくいられるかどうか、思い浮かべてみます。

たとえばぼくの場合、立食パーティーでは会場のどこにいていいのかわからない、どこにいても居心地が悪い、もう帰りたい。だけど、居場所を固定してしまうと、立食パーティーの必然性がなくなってしまいますよね。このジレンマをどう解いていくか。

こうやって、ゆるめる範囲を狭めていくんです。

たとえば新しいテーブルをつくってみたらどうでしょうか。長机をふたつ並べたような対面型のテーブルを思い浮かべてください。そこでの自分の位置は決まっていて、「澤田」

机がすこしずつズレていく立食パーティー

と書かれた名札がテーブルに置かれています。この机が1分間に10センチずつ、ゆっくりズレていったらどうでしょうか。対面の人と5分くらい話しているうちに、机がゆっくりズレていって、新しい人と「こんにちは」みたいな。そうすれば立食パーティーの本質的な良さ（人や情報の流動性）は失われないまま、「居場所が見つからない」「孤立してしまう」といったイヤなポイントを払拭できます。また、話の途中で、いきなり名刺交換を求められることもありません。

大胆に「ゆるライズ」しよう

ゆるライズで大切なのは「ホームランを打とう」と思うことです。ヒット狙いで改善することを目指すのではなくて、ホームランか空振り三振か、くらいの勢いが大事。アイデアなんていくら滑ってもいいんです。少しずつマイナーチェンジしようとすると、どんどん弱いアイデアになっていきます。それでは現状は変わりません。

そういう意味で、先ほどの「移動するテーブル式立食パーティー」はホームランを狙っています。少々空振り気味かもしれませんが（笑）、大胆な変化を取り入れていきましょうということなんです。

ゆるライズを考えるときには、出発点は「切実であること」が肝心です。だから、現状に100％満足している人、今の仕事が本当にうまくいっている人には、ゆるライズは必要ありません。そういう人たちは、目の前のルールに適応できていて、今が居心地いいわけであって、それはそれでもちろん「いいね！」ですから。でも、本当にそういう人はいるのかな？　とも思ってしまいますが。

最後はネーミング

ゆるライズで最後に大事なのが、キャッチーなネーミングに落とし込むことです（ゆるスポーツと同じように）。これはぼくがコピーライターであるせいかもしれませんが、「ゆるスポーツ」や「ざっくり体操」のように、既存のものから逸脱した何かだということを、みんなにわかりやすく伝えるために、ネーミングはとても大切だと思います。

たとえばテーブルがゆっくり動く立食パーティーだったら、「大陸移動型立食パーティー」みたいな、POPなネーミングに落とし込むのです。「『大陸移動型立食パーティー』を開催します」と言われたら、「何それ?」となりますよね。そこで情報の伝達速度が上がります。そこまで考え抜いて、ようやく物事はゆるまるんです。

ぼんやりと考えるのではなく、コンセプトとネーミングはガチガチに固めて、細部に至るまで妥協せずに整える。それがゆるライズです。

「大陸移動型立食パーティーの参加者は、コミュ力を上げたり、ポジション合戦をしなくていいです。みなさんはそのままで、机の方が移動しますから」という話です。これがポイントですね。

「立食パーティー弱者」なんて言葉はありませんが、ぼくのような思いを抱えている人は確実に存在します。そこで、弱者は弱者のままで何も変わらなくていい、その上で環境を変えて「新しい普通」をつくる、というアプローチがゆるライゼーションです。

水を得る、国をつくる

環境を変えてしまえば、人間のほうが勝手に目覚めます。

「はじめに」でも少し触れましたが、ぼくがスポーツ弱者だったのは、周りの水が合わなかったからなんです。ぼくは淡水魚なのに、海水の中で泳がされているようなもので、そのままだと死んでしまう。

そこでぼくがやったことは、ゆるスポーツという新しい水を注いだということです。そうしたら、まさに「水を得た魚」になれたんですね。ぼくという魚自体は何も変わってないんです。ゆるライズとは、自分に合った水をつくる作業なんです。

今の日本は、水が合っていない魚が社会にいっぱいいる状態だと思います。ぼくがやっているのは、魚を変えるのではなく、新しい水をつくって注ぐ、それだけなんです。水をつくるというのも別に大げさなことではなくて、自分のための水を自分でつくるくらいのことなら、誰でもできます。

ぼくも最初はそうでした。「スポーツ弱者」であるぼく自身と息子のために、新しいスポーツという池をつくったんです。そしたら「おお、その池気持ち良さそうだね」と、みんなが集まってきてくれて、大きな流れになっている。

それが現在のゆるスポーツです。

ゆるスポーツをつくっていると、「これは、建国にも近い喜びなのでは」と思うことがあります。スポーツ開発とは、国民《プレイヤー》それぞれの基本的人権を守りながら、それぞれが活躍するための法律《ルール》をつくることだからです。今全国でゆるスポーツをつくるワークショップをしているのですが、みんなの顔がキラキラと輝くのは、「自分にとって居心地のいい国って何だろう？」の答えを潜在的につくっているからなんです。

一度でもスポーツをゆるめると、「ルールって壊していいんだ」「変えていいんだ」という学びが刻まれて、その後の人生で苦手なことやイヤなことと遭遇したときに、「よし、ゆるめよう」というモードにすぐなります。まずは一度、何でもいいのでゆるめてみることが、人生のターニングポイントになるのです。

第5章

〃YURU〃は日本独自のスタイル

ぼくは透明人間になった

ぼくは、13年以上を海外で暮らしてきた帰国子女です。1999年に、日本の大学に入るために帰国したのですが、それまでアメリカ、フランス、イギリスを転々としてきました。という話をすると「うらやましい！」と言われるのですが、実態は真逆でした。

特にしんどかったのが13歳のときです。当時はフランスに住んでいて、ぼくは小学校の5年、6年を、パリの日本人学校に通っていました。ただ、「このままでいいのかな」という想いがむくむくと湧き上がったんです。「せっかく海外にいるんだから、海外の人ともっと触れ合いたいな」と。

でも、フランスの現地校に行ってフランス語を学ぶよりも、やっぱり英語を学びたいなと思いました。普通はそこでアメリカンスクールやインターナショナルスクールを選びます。でもぼくは違いました。

「パリのイギリス人学校」というマニアックな学校を選んだのです。理由は、日本人が少ないから。むしろ皆無だから。それなら、否応なしに英語を学ぶしかないだろうと思ったわけです。中学に進級するタイミングで、満を持して転校しました。そしたら、地獄が待っていたんです。

ぼくはそのとき英語がろくに喋れなかったので、分厚い英和・和英辞典を持ち歩いて、同級生たちとのコミュニケーションを試みました。テクノロジーが今よりも発達していない時代です。はじめこそ、イギリス人たちは興味深そうにぼくのところに集まり、辞書をパラパラとめくったり、辞書を介したぼくとのコミュニケーションを楽しんでいるようでした。

ただ、転入から3日も経つと、ぼくの周りからサーっと人がいなくなりました。そりゃそうですよね。辞書を使わないと話せないって、中学生たちからすると面倒なわけです。そこからが地獄でした。誰もぼくに話しかけにこない。ぼくも話しかける勇気がない。はじめの1年間は学校で「ハロー」「サンキュー」以外の言葉を発しませんでした。無色透明、存在感ゼロの人間です。

その学校の問題は、多様性が低いということでした。そう、ぼくがこの学校を選んだ最大の特色である「日本人がいない」は、裏を返すと、イギリス人の同級生たちが、イギリス人以外にあまり免疫がない学校でもあったのです。だから彼らも、ぼくをどう扱っていいかがわからなかったのでしょう。だいぶ、いやかなりしんどい時期でした。

パリのイギリス人学校は、授業ごとに教室を移動するというスタイルの学校でした。たいていの教室は、ふたりがけの椅子。そして、クラスの生徒数は奇数。そうすると、みんなはペアになって座るのに、ぼくだけ必ずひとりぼっちです。1日に4、5回は教室を移動するのですが、そのたびに「ぼくはひとりぼっちだな」ということを、否応なしに突きつけられました。

学校が遠かったのでスクールバスで通っていたのですが、ストレスからかぼくは毎朝吐き気と闘い、バスの中ではいつ吐いても大丈夫なようにビニール袋をつねに持っていました。これでもう、正真正銘人生終わったな、と思いました（小6のときに、Tくんが走る姿を見て以来）。

人は環境次第

転機はアメリカへの引っ越しでした。

中学校3年生のときに、アメリカのシカゴへ転勤することになり、現地校に入学したんです。すると不思議。アメリカ人や韓国人、メキシコ人など、多様な友だちがたちまちできました。

イギリス人学校で、多少英語を話せるようになっていたのは大きいですが、なによりアメリカがそもそも多様性を認める国だからです。

このときぼくは思いました。なるほど、環境が変わると、ぼくが変わったわけじゃないのに、ぼくの立ち位置や生きやすさってのは、ずいぶんと変わるんだな。

これは自分の中では大発見でした。自分が100％悪いと思っていたことの何％かは社会側の責任だから、なんだお互い様なんだなと。

少しずつ自信もでてきました。アメリカでギターをはじめ、友人とバンドを組み、インディーズですがアメリカでCDも出すことができました。人生が好転してきたんです。また、もともとひとりでいる時間が長かったので、本を読むことが大好きだったのですが（「本日も、本の日。」が自分の人生のキャッチコピー）、海外生活が長くなるにつれ、どんどん日本語に興味が湧いてきました。やっぱり、第一人称がすべて〝I〟にくくられる言語よりも、「ぼく」「わたし」「自分」「おれ」など、アイデンティティを選べる（キャラ設定できる）日本語って面白いなあと純粋に興味が湧いたんです。今まで無気力だったのに、いろいろなものに幅広く興味を持ちはじめました。

高3の夏にひとり日本に帰国し、日本の大学に通いました。そして2004年に広告代理店に入社しました。日本語を活かした仕事、コピーライターになりたいと思ったことがひとつの理由。もうひとつのきっかけは、やっぱり中学校1年生のときの透明人間体験です。たまたまぼくは、引っ越しに伴って悪いループから抜け出せたけど、世界にはひとりぼっちでいる人がいっぱいいるんじゃないか。そう思ったら、何かそういう人を減らすような仕事がしたい、と漠然とですが考えていました。そのとき、広告代理店なら社会的影響力があるし、仕事の守備範囲も広いから、いいのではないかと。

13歳の自分に書いたコピー

入社1年目は営業として、カメラメーカーの雑誌広告の出稿計画を立てる仕事をして、2年目からクリエーティブ局に異動となり、念願のコピーライターになることができました。興味があった日本語を起点に働ける喜びと、自分のアイデアがたとえばCMになって全国に放送される喜び、など、充実した日々を送っていた……はずなのですが、すでに書いたとおり、息子が生まれてから、それまでの働き方や生き方をリセットしたので、実はあんまり覚えてないんですね（笑）。

でも、今でも印象に残っている仕事があります。2009年の仕事です。クライアントは、恵比寿にあるアミューズメントメディア総合学院。声優学科、アニメーション学科、キャラクターデザイン学科などがある、いわゆるクリエイターを育成する専門校です。アミューズメントメディア総合学院の岡本さんが言いました。

「うちに来る子って、けっこう親御さんが反対することがあるんです。普通の大学に行きなさいって。で、そこで親の意見に反発して、強引に入学してきている子もいる。だから、うちに通う生徒や、親御さんが、自分たちに自信を持てるコピーを考えてもらえませんか?」

そのとき、生徒たちと自分がスーッと重なったんです。親から反対されるって孤独だろうな、と。あと、絵やアニメが好きって、もしかしたら学校で浮いている存在かもしれない(今はそんなことないと思いますが)。かつてのぼくみたいな立場なのかもしれない。

そう思うと、いてもたってもいられなくなり、どんな言葉でエールを送れるかな、と何日も何日も考え、提案したコピーがこちらです。

「あなたが生まれなければ、この世に生まれなかったものがある。」

生きるということは、何かを生み出すことだなと思ったんです。それは作品じゃなくても、他者への影響もふくめて。何も生み出さないまま生きる人なんていない。だったら、その事実を言葉にすることが、シンプルにエールにならないかなと。

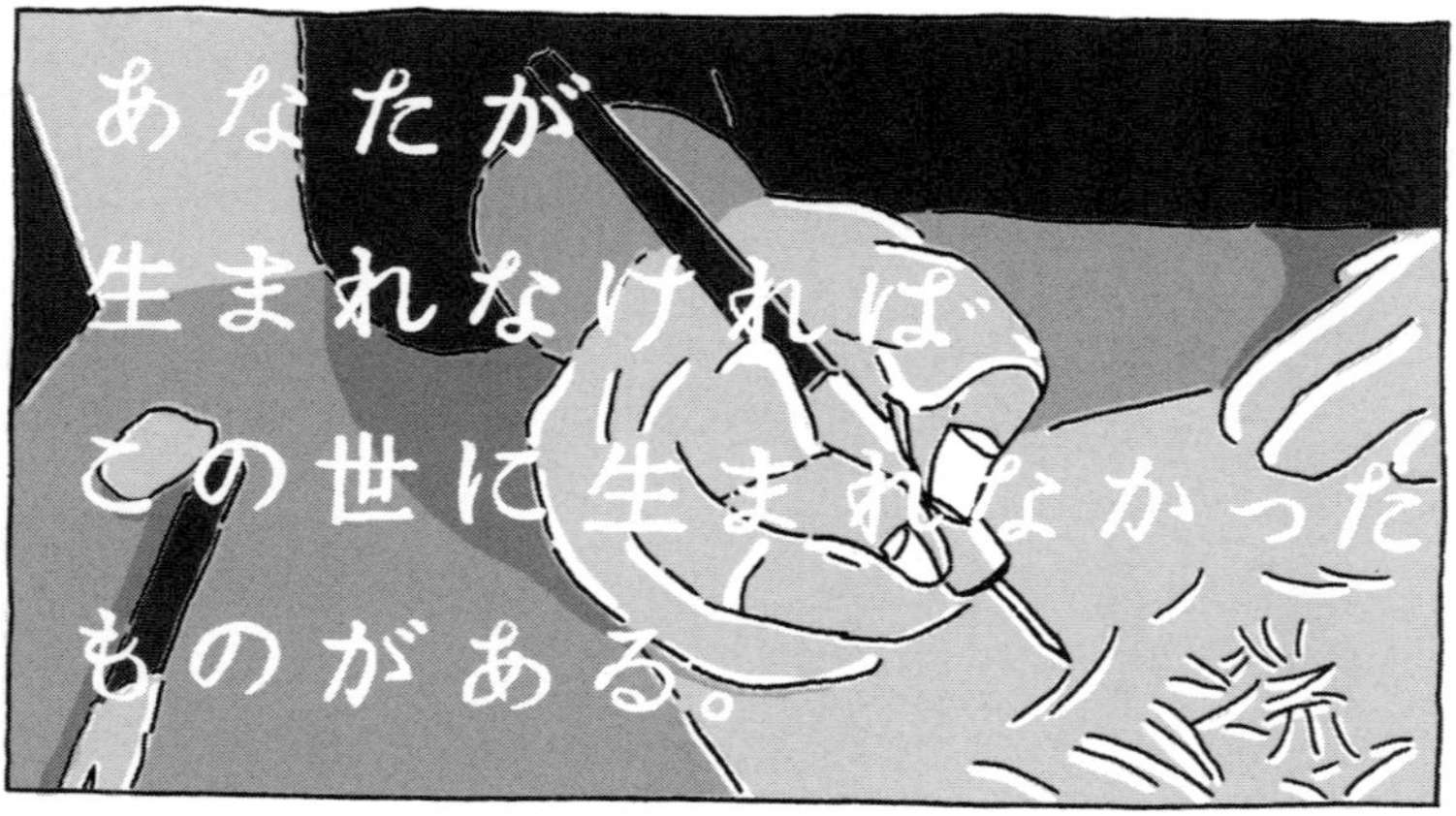
あなたが
生まれなければ、
この世に生まれなかった
ものがある。

実はこれ、生きる価値がゼロだと思っていた、13歳の自分に向けたコピーでもあるんですね。極論的には、経済的尺度で何も「生産」しなくても、やっぱり誰もが何かを生みながら生きていると、大人になったぼくには理解できていたからです。

このコピーが、先生方や生徒のみなさん、なにより親御さんに刺さり、とても好評だったことが、また自分のささやかな自信になりました。10年以上が経った今でも、このコピーは広告に使われつづけています。

また、Twitterで「この言葉に救われた」とつぶやいた方がいました。アミューズメントメディア総合学院の生徒さんか、そうでないかはわからなかったのですが、このとき「言葉ってテレパシーだな」と思いました。コピーにしている時点でテレパシーではないのですが（笑）。自分の思考が言葉となって圧縮され、誰かに届いて解凍され、伝わるというプロセスが、テレパシー的だなとしみじみ思ったのです。ますます言葉への想いが強くなった仕事でした。

「ゆる」という日本らしさ

ぼくは英語、フランス語、日本語、それぞれを母語にしている国で暮らしてきたのですが、言語って人の認識に大きな影響を与えるんだな、と常に実感しながら生活していました。

たとえばフランス語では、蝶も蛾《が》も、"Papillon"というひとつの言葉で概念化されています。だから、蛾が肩に止まったとしても気にしません。だって、あの美しい蝶と同類だから。

英語では、「肩こり」という言葉がありません。だから肩もこらないんですね(代わりに"Back Ache"といって、背中が痛いという表現があるので、背中が痛くなります)。

なぜ日本人は肩が痛いんだ？ と不思議そうに言われたことがあります。

だからか、ぼくは、英語などには直訳できない日本語が大好きです。これらの日本語こそが、日本人を日本人たらしめていると信じています。

「いただきます」「生きがい」「木漏れ日」。

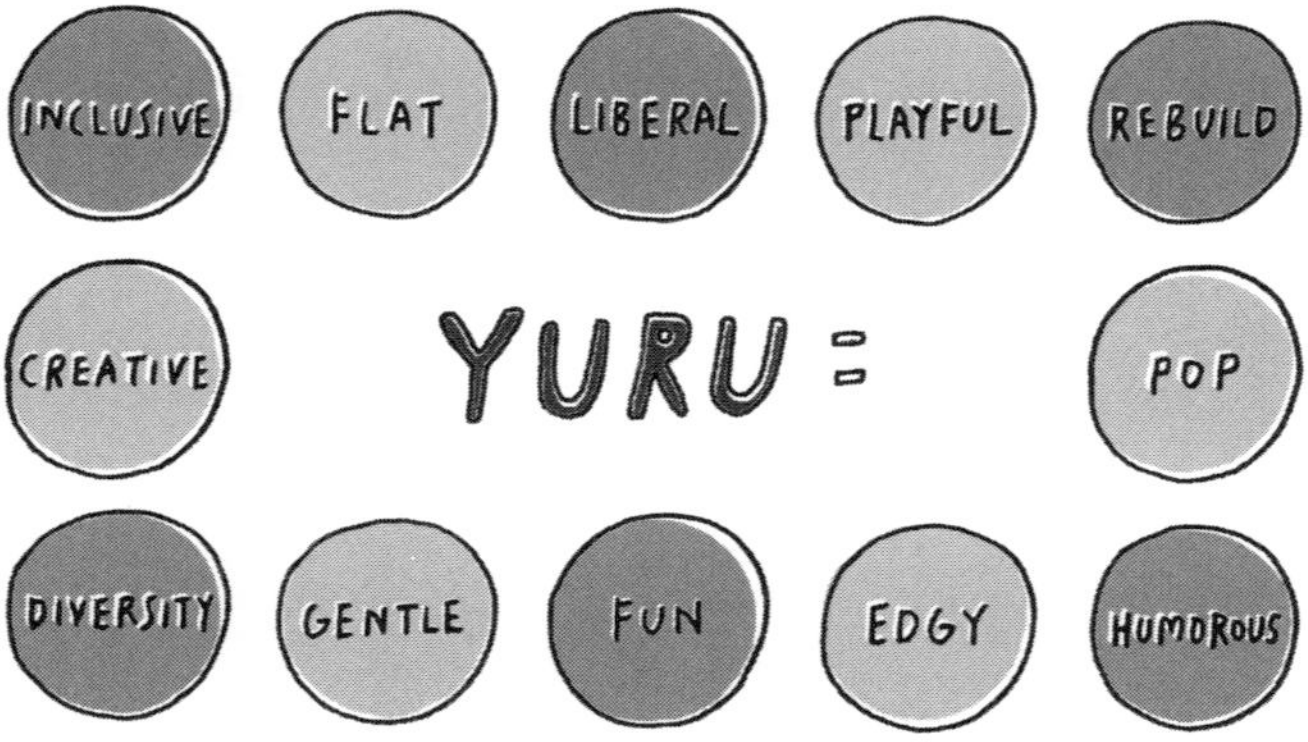

どうでしょう、すごく日本的ではないでしょうか。どれも、曖昧な感情や情景を、なんとか言葉という檻に閉じ込めることに成功しました、という感じがして「かつての日本人、よくぞやった！」と勝手に褒め称えたいくらいなのです。

そして、その中でもぼくが一番好きな、海外に訳せない日本語第1位が実は「ゆる」なんです。海外の方に〝ＹＵＲＵ〟という日本生まれのコンセプトを説明するとき、ぼくは上の図を見せます。

とにかくもう分厚い概念なんだ、と興奮しながら伝えるわけです。〝Inclusive〟なのに〝Playful〟。つまり誰でも受け入れるのに遊び心がある。それがぼくが捉えている〝ＹＵＲＵ〟の本質です。こんな言葉は他の国で見たことがないのです。世界の分断を解くかぎは、ゆるだと信じてやみません。

ぼくは、日本人はもともと世界で一番ゆるいんじゃないかなと思っています。

それが色濃く現れているのが、神仏習合的な日本の宗教観です。クリスマスはキリスト教方式でパーティーをし、大晦日はお寺で除夜の鐘を聞き、元旦は神社で初詣をする。1週間に、3種類の宗教が共存しています。普通じゃありません。

また、結婚式も「教会式」や「神前式」など、宗教形式を選べますよね。ものすごく寛容とも言えるし、ものすごくゆるいとも言えます。深く考えているとも言えるし、もしかしたら何も考えていないのかもしれない（笑）。その1億総寅さんみたいな日本が、ぼくは好きなんです。

日本は地政学的にはユーラシア大陸の最東端で、仏教しかり、稲作しかり、さまざまな文化が西から運ばれてきて、普通ならさらに東へ文化が流れていくのですが、日本は極東なので文化はそこで立ちどまるしかない。だから、日本の中で滞留し、多様性を保持しなければならないという、良い意味で地政学的制約を課されているんですね。そこでいちいち「神VS仏」「縄文VS弥生」とかやっていると、きりがない。だから基本スタンスをゆるく構えて、「習合しちゃえ！」とやらざるをえなかったんだと思います。これ、ぼくの仮説ですが、けっこう当たってるんじゃないかと思ってます。

とりわけ、日本の仏教はすごく豊かです。ぼくは法然や親鸞が大好きなのですが、大陸から伝わってきた仏教と、日本の豊かな自然環境がかけあわさって、浄土仏教が生まれたことは、とても興味深いことです。

浄土仏教は「ゆる仏教」

ぼくは法然と親鸞が、既存の「ガチ仏教」に対して「ゆる仏教」をつくったと思っています。法然の浄土宗、親鸞の浄土真宗って仏教のゆるライズなんです。

仏教は、基本的には厳しい修行があって、出家をして、肉食や妻帯などもってのほか。浮世離れしたストイックな生活を送って、最終ゴールは「悟り」。ブッダの「悟り」という体験を、みんなで目指そうというのが従来の仏教です。

それに対して浄土仏教は、そんなストイックな修行をいろいろな理由でできない「仏教弱者」のための宗教です。それまでの仏教は、自分個人が悟るためのものでした。しかし、法然や親鸞の仏教は違います。みんなが救われるための仏教をつくったのです。

浄土仏教の何が良かったか、それは捨てる作業をしたことです。法然は、「修行はいらない、瞑想はいらない、出家はいらない、唯一念仏を唱えよ」と教えました。浄土仏教は称名仏教とも呼ばれ、念仏を唱えるだけでいい、念仏を唱えるという行為以外は全部捨てたわけです。

このように法然や親鸞が仏教に対しておこなった作業を、「再構築」などと呼ぶわけですが、どうも言葉が難しいですよね。そこでぼくは、みなさんにもっと親しみを感じてもらうために、日本語の中で一番ニュアンスが近い言葉である「ゆる」をここでも選びました。

もう少しだけ親鸞の話をすると、親鸞は僕の中で「ゆる僧侶」とも言える存在なんです。なにせ自分のことを「愚禿《ぐとく》」と呼んだくらいです。ふつう僧侶は偉くてカリスマ性があってリーダーシップがあるのだと思いますが、親鸞は自らを愚かだと言ったんですね。そういう、人間くさい凡夫ですよと。とっても正直で、むしろこういうリーダーについていきたい！　とぼくは思ってしまいます。

親鸞は、仏教の本質は「すべての人を、その苦しみから救う」ものだということを、自分なりに抽出したのだと思います。だからこそ、一部の権力者のものになっていた仏教のゆる化をはかり、だれでも念仏を唱えれば救われます！　大丈夫！　と、あらゆる人と仏教徒とを繋いでいった。その思想と行動力は、ぼくも励みにしています。で、ものすごく「日本っぽい！」と思うわけです。

隣人愛ではなく、隣人無関心

いい意味で、「隣人に無関心」なのが日本じゃないかなと思います。隣の人が、どんな氏神を信じていてもいい。八百万の神がいたとして、相性が合う神を選べばいい。この無関心は冷たいようで、実は許容度が高い状態でもある。それって、寛容ともまた違う気がしていて、やっぱり「ゆるい」なと思うわけです。

高知県に皿鉢料理というものがあって、ぼくはこれも、とってもゆるいなと思います。何かというと、大皿に海の幸、山の幸、お寿司からフルーツまで、ぜんぶ一緒くたにのっているんです。この共存感も、実に日本らしい。こういう例は、挙げはじめるときりがないのですが、大好きな世界観です。

これって、言ってみれば「多様性」の許容なんですね。なんか日本でも最近よくダイバーシティとかインクルージョンとかよく聞くじゃないですか。カタカナにした途端わからなくなるけど、これってまさに日本の精神性じゃないか！　とぼくはいつも思っています。だから海外から、この概念をわざわざ輸入しなくても、もう目の前にあるものなんです。

ぼくが日本に帰ってきて、「わ！　めちゃくちゃ日本だ！」と思ったことがあります。それは、買い物にいったときの選択肢の多さです。

たとえば、キットカット。

きなこ味や抹茶味など、日本では今までに累計300種類くらいのキットカットがつくられ、販売されています。この種類の多さにネスレ本社も驚くそうです。なぜ日本人は、そんなにたくさんのキットカットをつくることができるのか。それが日本人の多様性であって、ひとりひとり見ている景色が異なるから、選び取るものも違うんです。キットカットは顕著な例ですが、日本に住んでいるとそこかしこで多様性を感じます。たとえばメンバーが40人以上いるアイドルグループも、日本以外では考えられません。その中から自分の好きなアイドル（推し）を選べるのは、とても日本的です。

他方で、ケータイ戦争では、日本のガラケーが、シンプルなiPhoneに敗れました。細かいところで多様性を出す、マイナーなスペック合戦になってしまったのです。でも、この気質は日本の本質だとぼくは思っています。

日本の「多種多様性」

日本人は、ひとりひとりが編集者マインドを持っています。いろいろな情報が社会にあふれている中で「私がほしい情報はこれだ」と取捨選択する、そういうことが好きなんじゃないかと思います。

だから、ゆるスポーツをつくるときも意識しているのが、スポーツの多種多様性なんです。これまで80以上の競技開発してきたのも、ある意味では、日本人の感覚に合わせているからです。

日本って選択肢が豊富な社会、バラエティ豊かな社会なんです。「豊かな（リッチな）社会」というと、どういう状態をリッチと呼ぶかによるので漠然としたイメージですよね？でも、間違いなく言えるのは、バラエティ豊かな社会はリッチです。そういう点で、日本はすごく進んでいるとも言えます。選択肢が豊富であること、これもひとつの「ゆるまった世界」なのです。

日本の曖昧さが、変な方向にいくこともままあります。まさに「空気」が国全体を支配するときですね。でも、そのゆるさを、もっと良い方向に活かすと、日本ってもっと暮らしやすくなるに違いないとぼくは信じてやまないんです。

調和ではなく超和

これ以上書くと、「日本を礼讃することで視聴率をかせぐテレビ番組と同じだ！」と言われかねないので、これくらいにしておきますが。日本の宗教観やキットカットのような、多様なものが多様なまま、隣り合って共存している状態って、一言でいうと「超和」だと思うんです。

神と仏、チョコとほうじ茶、のようにまったく交わる気配がないものを、それぞれを引き立てる形でうまく共存させてしまう。そのゆるさが日本です。だから、日本的ダイバーシティは、ぼくは「超和」なんだと勝手に意訳しています。これこそが、何かをゆるめるときに、一番参考にしている姿勢です。ちなみに、もうおわかりかもしれませんが、ぼくは「ゆるライゼーション」とか「超和」とか、勝手に言葉をつくります。それは、今目の前にある言葉すら不完全で、言葉もどんどんゆるめていいと思っているからです。

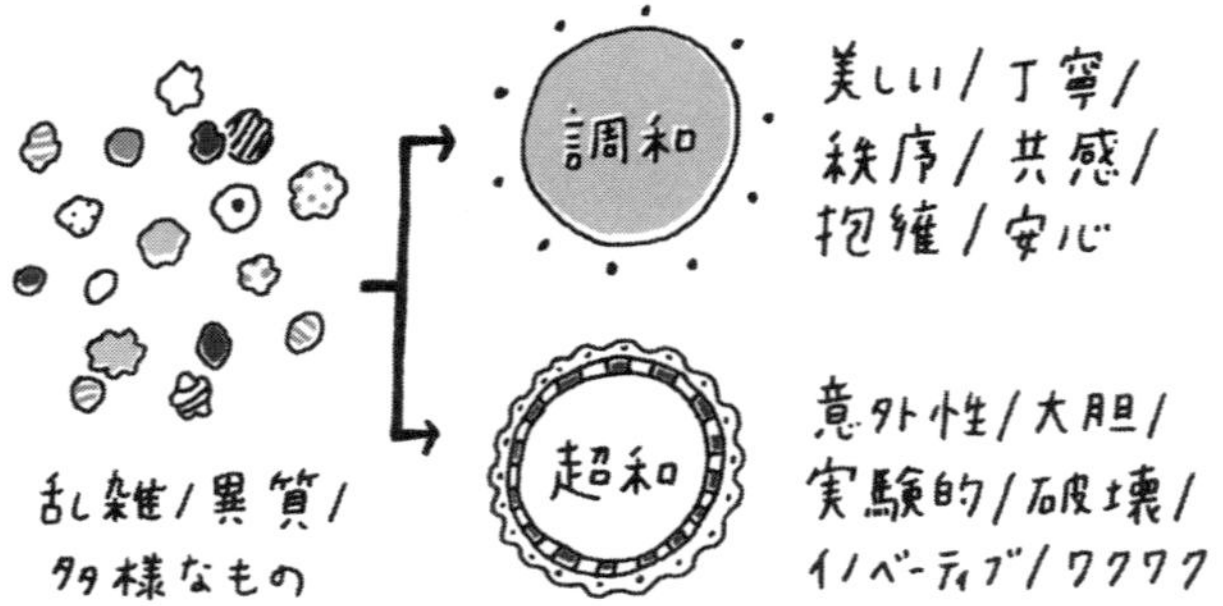

「ゆる」は「もったいない」と同じくらい素晴らしい日本のコンセプトだと思っています。

ゆるスポーツの「スポーツを作るワークショップ」では、誰がどんなアイデアを言っても絶対にぼくは「正解！」と言います。なぜなら全部正解だから。ぼくの正解ではなかったとしても、あなたの正解であるからです。それが「ゆる的マインド」で、あなたとぼくは答えが違って面白いわけです。

重要なのは「ゆらぎ」をつくることだと思っています。たとえば、多くの人がスポーツは緊張感があり、締めるものだと思っているのですが、緩急でいう「急」という状態の振り子を、ぽんと押して真逆の「緩」もあることを知ってもらうんです。振り子が緩急を行ったり来たりして、ゆらゆらっとしながら前に移動していくような感じです。この「ゆらぎ」を許容することが「ゆる」という考え方だと思っています。そして、これこそがジャパニーズ・ダイバーシティ、超和マインドです。

広がるゆる化の波

ゆる化の波は、今はぼくらの手を離れて全国に広がっています。

2019年に「ご当地ゆるスポーツアワード」という、日本全国でその地方ならではのゆるスポーツを考えて応募してもらう大会を開きました。募集期間は1か月半と短め。しかもスポーツの内容やルールをちゃんと考えて、プレイしている動画も添付してください、と、かなり難易度高めの応募要項にしたんです。というのは、数ではなく質を重視したものにしたかったから。

ところが、こうしてハードルを上げたにもかかわらず、30種類近い新しいゆるスポーツが全国から集まってきてビックリしました。

ゆるスポーツを新しく考えて形にするのは、けっこう手間がかかるんです。でも、こうやってたくさんのスポーツが集まったのを目にして、やっぱり日本人は「ゆるめる」ことに、生来的に向いているんだなと再確認しました。

送られてきた動画を見ると、どれも愉快なんです。たとえば、大阪のチームがつくった

「タコヤキュー」というゆるスポーツ。野球のようなスポーツなのですが、バッターが打った球がバックホームされるまでの間、味方がひたすらたこ焼きを模したボールをクルクルひっくり返して、その数だけ得点につながるという、こうして文章化してもよくわからない魅力的なカオススポーツです（笑）。この、たこ焼きと野球をリミックス（習合）させちゃう感覚が、とっても日本的だし、もうそもそも根づいている感覚なんだなと思うと、妙に安心感を覚えました。

TOPとPOPの関係性

ちなみにぼくは、自分のことをスポーツが苦手な「逆プロフェッショナル」と呼んでいます。なぜなら、ぼくはスポーツの逆プロフェッショナルだからこそ、ゆるスポーツを思いついたからです。

そんなゆるスポーツで目指しているのは「ＰＯＰスポーツ」です。既存の競技スポーツは、より高みを目指す「ＴＯＰスポーツ」と定義しています。

どういうことかと言うと、もしスポーツ産業がひとつの山だとしたら、ＴＯＰスポーツは「昨日よりも高く！」とより高みを目指していくものです。縦へ縦へと伸びていく動きです。ただ、それだけだと、縦にだけ長いアンバランスな山になってしまいます。

だから、横へ横へと、すそ野を広げるアプローチも必要で、ぼくはそれがPOPスポーツの役割だと思っています。

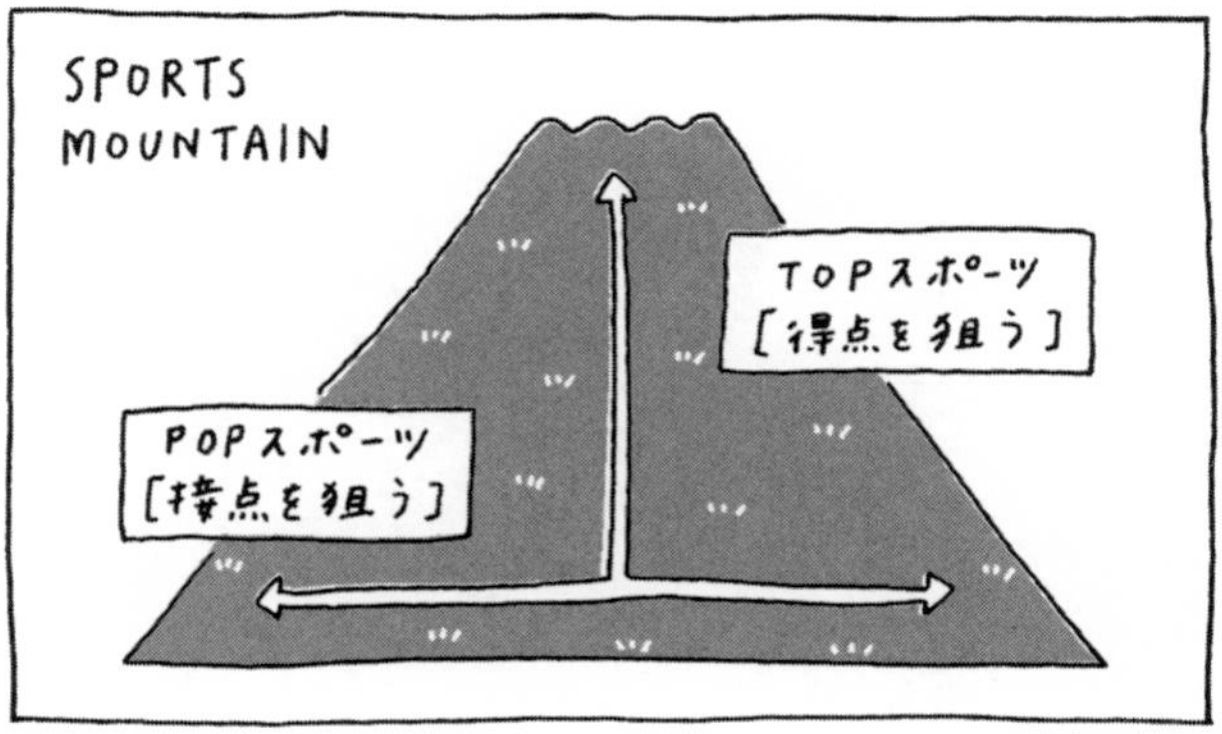

TOPスポーツの目的は、広義の「得点」を獲得すること。各選手が記録を伸ばしたり、スポーツ協会や連盟やチームが観客数を増やしたり、「昨日より今日」の精神性で高みを目指します。

一方、POPスポーツの目的は、「接点」を獲得することだと定義しています。つまり、今までスポーツと関わりが薄かった人とスポーツをつなげたり、もしくはスポーツと縁遠かったモチーフ（たとえば顔認証技術とかブリとか）とスポーツの接点をつくることです。

高みを目指すだけで裾野が狭いとアンバランスだし、逆に裾野が広いだけで高みがないのもアンバランス。両方向へ広がっていくのが、スポーツ全体にとっては一番いいことなんです。だから、ゆるスポーツという「横軸」を加えています。これは「ひたすら上へ上へ」という、単一の尺度からの解脱です。

ＰＯＰというと、ツルッとしたＪ-ＰＯＰのように「誰も傷つけない」「トゲがない」ものを想像するかもしれませんが、ぼくが参考にしているのはKING OF POPであるマイケル・ジャクソンです。それは、ムーンウォークや、「ポー！」というシャウトなど、老若男女誰もを惹きつける新発明があるからこその、ＰＯＰ性です。ハードポップと呼んでもいいかもしれません。

だからゆるスポーツを開発するときも、「イモムシになりきる」「自分と顔が似ている人を探す」など、新発明によるＰＯＰスポーツの実現を目指しています。

ゆるは、緩と許と聴

「新しい接点を増やす」という考え方も、やっぱりジャパニーズ・ダイバーシティに影響を受けています。日本の超和的スタンスは、矛盾を矛盾のまま共存させるという、とってもインクルーシブな感覚です。そして、これを一言で言えばやはり「ゆる」に尽きるんです。

ちなみに、ゆるの漢字といえば何だと思いますか？　やっぱり「緩」でしょうか？　はい、もちろん正解です。でも、ぼくの中にある「ゆる」は別の漢字でも表せます。たとえば「許」。ゆるスポーツは、「許スポーツ」とも言えます。他者のミスに目くじらを立てたり、完璧なプレイを求めるのはやめましょう、「他者を許すという前提でスポーツしませんか」という思想がゆるスポーツには含まれています。だからイベントの冒頭で、実際に「ゆるスポーツの『ゆる』は『許す』のゆるでもあります」と伝えることがあるんですね。「寛容性のストライクゾーンを広げてください」と。なぜなら、初めてやるスポーツなんて、うまくいかないことだらけなんです。それを前提としながら、お互いのエラーを楽しみましょう、と。で、普段よりもストレッチした寛容性を、自分の生活にも持ち帰れるとベストですと伝えます。この世界観はとっても「許い《ゆる》」んですよね。

あとは「聴」です。「聴す」と書いて「ゆるす」と読むのは知っていますか？　これ、「聞き入れてゆるす」ということなんです。ゆるスポーツをつくるときには、スポーツ弱者の話を傾聴して、その人生を丸ごと受け入れた上で、スポーツをつくります。ゆるスポーツは、弱者の言葉を聴くことから始まるんです。だから「ゆるスポーツ」は「聴《ゆる》スポーツ」でもあります。

古くから「一張一弛」という言葉がありますが、物事というのは、張ったり緩めたり、やっぱり緩急が大事なんです。今は、社会全体に緊張感がピーンと張っています。ちょっとした刺激で割れてしまいそうな風船状態になっているので、だからこそ意識的に弛緩させる試みがもっと増えないと、社会が壊れてしまうんじゃないかと思います。ゆるは救世主なのです。

ぼくの「ゆる」の解釈は、一般的なものではないかもしれません。だけど、今日の非常識は明日の常識で、言葉の解釈も時代と共に変わっていくものです。だったら、自分の人生に寄り添ってくれそうな言葉があれば、自分なりに解釈していい。これをぼくは、「再解釈」ではなく「マイ解釈」と呼んでいます。どんどんマイ解釈をしましょう。あなたのマイ解釈が、誰かの人生を救い、あなたの人生さえも救うかもしれません。マイ解釈した「ゆる」がぼくを救っているように。

第6章　ニューマイノリティをさがそう

２０１６年4月に立ち上げた、世界ゆるスポーツ協会。いつしか、ゆるスポーツ体験者数は10万人を超えました。また、２０１８年7月に一般販売した「さけべ！トントンボイス相撲」という、声でプレイする相撲は、販売台数が３万台近く。銀座博品館が発表した、その年の人気クリスマスプレゼントランキングでも、なんと全体の3位になりました。今では多くの企業や自治体から「オリジナルスポーツをつくりたい」というオファーも相次ぎ、エストニアをはじめ世界進出も始めています。展開がゆるくありません。

ある日、ぼくはふと思いました。今、全力でスポーツをゆるめているけれど、他にもガチガチな領域があるんじゃないだろうか。まだ見ぬマイノリティが世界に潜んでいるのではないか。

音楽をゆるめる

すると、自分の部屋でヒントがすぐに見つかりました。「楽器」です。今ではぼくのギターは埃をかぶっています。学生時代、あんなに夢中になっていたのに、社会人になってからほとんど触れなくなってしまいました。でも、それってぼくだけでしょうか？

きいてみると、周りにも、楽器をやっている人がとても少ないことがわかりました。また、調べてみると、成人した人の大体10％ぐらいしか日常的に楽器に触れていないそうです。

これに、ぼくはかなりびっくりしました。スポーツ弱者は、日本人の58％の割合でいます。でも、音楽弱者はなんと90％。スポーツ弱者の約1・5倍。

ニューマイノリティ、ここにいたり、です。

ということで、スポーツのノウハウを活かして、次は音楽をゆるめることを始めました。ゆるライズするにあたって、また順番に考えてみます。

1. 自分が排除されているものをさがす
2. そのものの本質を見直す
3. なぜ排除されているか「非ゆる」をリスト化する
4. 本質を残したまま非ゆるをつぶす

1.は、「楽器」ですね。では、2.の「楽器の本質」はなんでしょうか。これも人それぞれに答えが違っていいと思うのですが、ぼくは「演奏者の動きが音に変換され、外部出力されるもの」だと理解しています。地域や民族によっても、楽器を楽器たらしめているものがちょっとずつ違うので、ここでは文脈に左右されない即物的な楽器としての本質を抽出しました。

その上で、3.のなぜ楽器から排除されているかの「非ゆる」を探します。

人はなぜ楽器を演奏しないのでしょうか？　ある調査結果によると、やっぱりそこにはいろいろな理由があるみたいです。

過去にピアノ教室などで挫折した経験がある、時間がない、お金がない、きっかけがない、騒音が気になる、音楽仲間がいない、などなど。とにかくそこには「やらない言い訳」がずらりとあるわけです。

で、なるたけピンとくるまで「非ゆる」を分解するのがポイントなのですが、ぼくは「過去にピアノ教室などで挫折した経験がある」に着目して、もう少し深掘りすることにしました。

たしかにピアノを習った経験がある人は多い。だけど、大人になっても弾いている人は限りなく少ないですよね？　バイエルの序盤で終わっちゃったよ、とか、今ではアンパンマンしか弾けないよという人（ぼく）が多いかと思います。

でも……なんで⁉

あんなに時間とお金をかけて、全然習得できてないって、どういうことでしょうか？

みんな当たり前だと思って諦めているけど、なんか変じゃないですか？　ぼくは、きなくさいなと思いました。どこかに犯人がいるんじゃないか……。

いました。犯人が。しかもふたりも。

ピアノと楽譜です。

音楽弱者を生む犯人

まず、ピアノです。鍵盤の数、多すぎません？　88鍵もあるんです、おかしくないですか？　そもそもですが、日常生活で88個の何かを意のままに操ることってないですよね？　指10本しかないんですよ？　しかも黒鍵ってなんでしょうか。扱いが難しすぎませんか？　全然仲良くなれる気がしない。

なので、そもそもピアノという楽器自体が、難易度最高レベル系楽器なんです。どうしてこんなに難解な楽器を、広くみんなにやらせるのでしょうか。だんだん腹が立ってきました（笑）。

あと、音楽弱者を生んでしまうもうひとりの犯人。それは、「楽譜」です。五線譜って、読み解くのが難しすぎませんか？　音符や記号も難解だし。義務教育で必ず通る道なのに、楽譜の識譜率がこんなに低いのってなんででしょうか。まったく習ったことがないですが、アラビア語の方がまだ読める気がします。

ここまで粘り強く考えつづけ、ネチネチと追い込むことで、ようやく敵が姿を現しましたね。では、ここからが本番です。最後のステップ「4. 本質を残したまま非ゆるをつぶす」という本試合へとうつりましょう。もう、書いていて楽しくなってます（笑）。

「演奏者の動きが、音に変換され、外部出力されるもの」という楽器の本質からブレずに、「習得や読解が難解すぎる楽器や楽譜」をどうゆるめていけばいいでしょうか？　ちょっと、3分ほど考えてもらえますか。

「言葉落ち」するまで考える

はい、3分経ちました。いかがでしょうか？　ちょっとまだゆるめづらいでしょうか？

そう感じた場合は、実は「非ゆる」の言語化が足りていないことがあります。ここをしっかりと、腹落ちするまで詰めることが大事です。もう逃げ場がないくらい、敵をいっそう追い詰めましょう。

なぜピアノと楽譜が難解か。もう一段階、納得のいく形で言葉を消化してみます。繰り返しになりますが、ピアノを弾くときのあのトリッキーな動きって日常ではしないし、あの難解な楽譜も、普通に生きていると目にしないですよね。ということは、「日常から離れすぎている」ということが、ピアノと楽譜のゆるくないポイントと言えそうです。ここでぼくは言葉落ちしました。この言葉を起点にゆるめられるなと思ったんです。では、これをどうゆるくすればいいでしょうか？

楽器を「日常と接続すること」じゃないかとぼくは思いました。

そうすることで、楽器演奏が嫌いではなくなる予感がしました。

ちなみに普段からアイデアを考えるときも、こうやって自分と対話をしながら、どんどん議論を深掘りしていきます。アイデアとは、突然天啓のようにパーンと脳内で浮かぶものではありません。

では、楽器を「日常と接続する」とはどうすればいいのでしょうか？　たとえば、生活の中で、日常の営みと音が連動しているシーンを探せばいい。千切りをしているとき、いいリズムだなと思ったり。歩いているうちに歩幅がそのとき聴いている音楽と合ったり。ぼくたちの日常動作は、見方を変えると音を奏でているともいえます。ただ、今はまだそのほとんどが、生活音として出力されていて、音楽にはなっていないだけです。

そう、今はまだ楽器にはなっていない日常の動作を抽出して、楽器を開発すればいい。と、ようやくここでコンセプトが生まれました。ちなみに、今6ページくらいでサラッとまとめちゃいましたけど、実際は2か月くらいうんうん考えていました。やっぱり、アイデアを出すのは、煮つめる作業が必要なんですね。多様な材料を混ぜ合わせ、時間をかけて味を抽出していく。そして、自分が納得するまで言葉に落としていく。

TYPE PLAYERの発明

次のステップは何でしょうか？　それは、楽器化するにふさわしい日常動作を探すことです。もちろん千切りでも、貧乏ゆすりでも、歩く音でも何でもいいわけです。ここでぼくは思いました。たしかにピアノは難解です。でも、だからこそ、あれを弾きこなせるとカッコいいわけです。

であれば、日常的に行っている動作の中で、一見「複雑」に見えるものは何か。そんなある日、見つけました。「タイピング」です。

パソコンのタイピングは、今は多くの人が行っている動作です。タッチタイピングができる人も多いと思いますが、実はこの動作って、30年前の世界の人が見たら、すごく超絶技巧に見えるんじゃないかと思いました。

また、カフェでパソコンを打っている人の手元をよくよく観察してみると、なんだかピアニストの手つきに似てるなと気づきました。

あるデータ（「日経パソコン」2007年7月9日号）によると、日本人のビジネスマンのうち4割が1日2～4時間タイピングしていて、1割が8～10時間タイピングしていることがわかりました。

すごい事実だ……と思いました。

マルコム・グラッドウェルが「1万時間の法則」を提唱していますが、仮に仕事で毎日4時間半タイピングする人がいたとして、毎年の勤務日数が230日前後だとしたら、10年後にはタイピング時間が1万時間を超えます。社会人生活10年でタイピングの天才になるのです。今この本を読んでいるあなたも天才かもしれません。

だけど、今、このタイピングはあくまで手段です。パートナー企業に仕事を依頼したり、コーディングしたり、上司に謝罪するために文字列を打つことが目的です。今こそ、多くの人が日常的に行っているタイピングという生活行動を、目的にするような楽器ができないでしょうか。

そこで開発したのが「TYPE PLAYER」です。

遠くから見ると楽器のキーボードのようなたたずまいをしているのですが、よく見るとドレミファソラシドの鍵盤がありません。代わりに、パソコンのキーボードがはまっています。

ちなみに、ご存じかもしれませんが、いわゆるタイピングを使った音ゲーは前から存在します。試しにぼくもやってみたのですが、個人的には高揚感がありませんでした。それは、やっぱり「パソコンを打っている」という現実感がそこに残っていたからです。

だから、パソコンとは分離させて、独立した楽器をつくることにこだわりました。また、ハード面では「機能性」より「官能性」を目指しました。つまり、楽器ってやっぱり「触れたくなるかどうか」が大事だなと思ったんです。特に楽器弱者にとっては、たとえコンプレックスがあったとしても、それでも触れてみたい。そんな魅力が楽器にはないとダメだなと思いました。

そこで、トンガルマンという会社の力を借りて曲線美や艶感、素材や触れ心地にこだわりつくした「TYPE PLAYER」ができたのです。

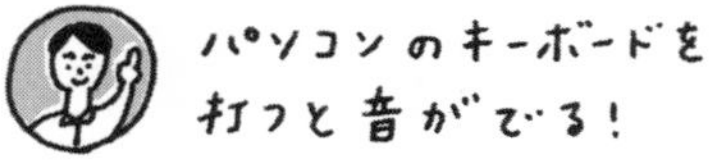

仕事熱心で毎日タイピングしている人ほど、
名ミュージシャンになれます

ここには、ゆるスポーツと同じ〝YURU〟へのこだわりが詰まっています。つまり何かをゆるめるためには、ちゃんと品質の高いものをつくる必要があるのです。チープなスポーツをつくってもスポーツ弱者が見向きもしないのと同じように、チープな楽器をつくっても音楽弱者はまったく興味をもたないでしょう。

ここで思い出してください。楽器弱者の敵が「ピアノ」の他にもうひとりいたことを。「楽譜」です。実はこの新しい楽器は、その楽器問題も克服しています。「TYPE PLAYER」の楽譜を見てみると、そこに五線譜は存在しません。代わりに、Ｅｘｃｅｌを模したような世界観の中で、文字列が並んでいます。
たとえば「きらきら星」なら、WWYYUUY《きらきらひかる》、と順番に打っていくと曲になります。どうでしょうか、おたまじゃくしよりも、ずいぶんとフレンドリーな楽譜だと思いませんか？

より難解な曲になると、文字列ももっとランダムで、密度も濃くなってくるのですが、それでも初見で「楽譜を読める」ことは、まったくチンプンカンプンな五線譜を読むことと比べて、「これならいけるかも」という期待感が全然違います。

試しに「TYPE PLAYER」についてTwitterで呟いたところ、150万インプレッションに到達し、1・5万いいねをいただき、大きな反響を呼びました。また、「これなら自分でも弾けそう！」というコメントが数百件寄せられ、「やっぱりみんな楽器が嫌いだったんじゃなくて、自分でも弾ける楽器を探していたんだ！」と、ぼくも嬉しくなりました。

世界ゆるミュージック協会誕生

この楽器のアイデアが生まれたことを皮切りに、ふとひとつの考えが浮かびました。「世界ゆるスポーツ協会につづいて、世界ゆるミュージック協会をつくれないか」。そこで、ソニー・ミュージックエンタテインメントの信頼する仲間に声をかけ、2019年4月に正式に「世界ゆるミュージック協会」を立ち上げました。

その際も、日本的ゆるマインドを大切にしました。それは楽器がバラエティ豊かであること。なので、協会立ち上げと同時に、6つのゆるミュージック楽器も発表しました。楽しい世界観なので、ちょっとだけ紹介しますね。

まずは「POSE GUITAR」。といっても、みなさんが知っているギターとは全然様子が違います。ボディがないし、弦もない。というか、ギターの存在感そのものがない。これはリストバンド型のデバイスを装着して、演奏するギターなんです。

なんでこれを考えたかというと、ギターのハードルって何だろうな？　といつものように考えたときに「コード」だなと思いました。いわゆる、ギター演奏者が、通常左手で複数の指を使って奏でる和音です。

ギターをちょっとでも触った方ならわかると思いますが、実は「F」というやっかいなコードがあって、これがギター民にとって越えるべきひとつ目の山です。これさえ押さえられれば、その後BとかF#mとか香しいコードをたくさん弾けるようになるのですが、やっぱりFでつまづく人が今でもあとを絶ちません。

もちろん、難関があるというのは、楽器習得における醍醐味のひとつです。でも、越えられる山、越えたい山にも、選択肢があってもいいんじゃないかと思うんです。

で、「POSE GUITAR」です。これは何かというと、コードをおさえる代わりに、ポーズをとるギターです。たとえば右上を頭上にかかげると「C」が、右に突き出すと「G」、左にすると「F」というように、ポーズとコードが呼応しています。これなら、「Fでつまづく」ということがありません。

何かをゆるめるときに大事なのは、そのものの本質は見失わないようにすることですが、楽器においては「上達」という体験は欠かせません。

だから、入り口の敷居を低くして、間口を広くはしても、「誰がやってもすぐに同じように上手にできる」ということにはしていません。

「POSE GUITAR」も、たとえばコードの順番を覚えたり、適切なタイミングでコードチェンジをするなど、練習した方が上達する余地をたっぷりと含んでいる楽器です。

ちなみに、「ポーズをとることはハードルが高い」という方もいるでしょう。それなら通常のギターをやってみてもいいかもしれないし、はたまた新しいギターをつくってもいいのです。それぞれが自分に合わせて楽器をゆるめていくことで、楽器の選択肢がまた増

POSE GUITAR
ポーズをとると音がでます！
C
G
F
ほどよく疲れるので、スポーツの要素もあります。リハビリにもおすすめ

える。すると、ゆるくて豊かな楽器文化が拡がっていくと思うのです。

「ウルトラライトサックス」という楽器も開発しました。

サックス、一度でいいから、黄昏時の河原で吹いてみたい。

でも、サックスこそ「非ゆる」の塊ですよね。全然いい音が出ないし、音が大きいので日本の住環境だと騒音が気になるし、あと、なにより重い……。

そこで、ソニー・ミュージックエンタテインメントの後閑さんという発明家の方にお願いして、小さいサックスを開発してもらいました。まずはサイズや重量をクリアしようと思ったんですね。

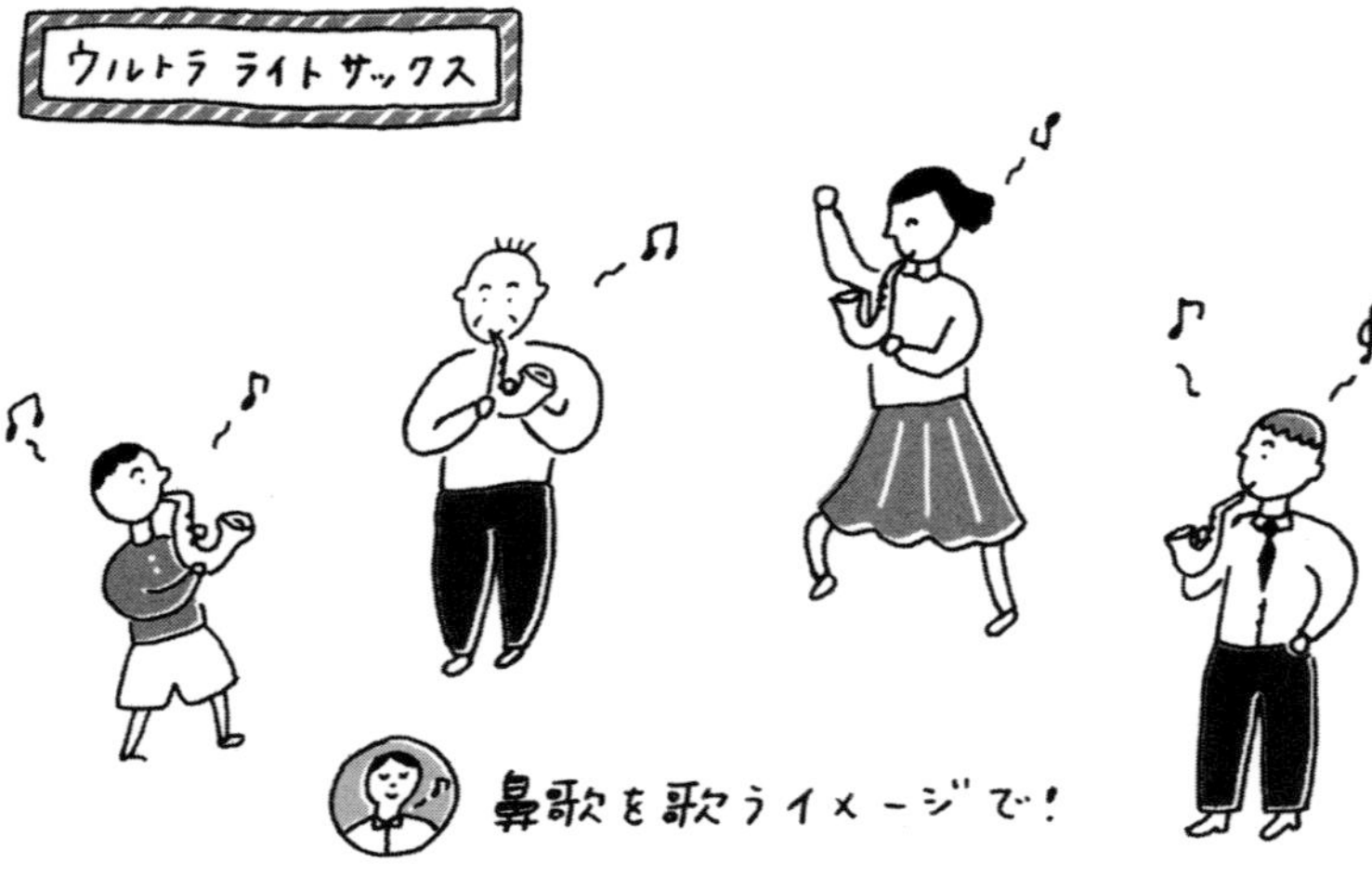

なにせ軽いので、上半身を大胆に動かしたりとパフォーマンスにも幅が出ます

あと、このサックス最大のポイントはどこも押さえなくてもいいということです。代わりに鼻歌を歌うと、その鼻歌がサックスの音となって出力されるという楽器です。

通常サックスを習うときにどう教わるかはわかりませんが、ウルトラライトサックスの場合は、「お風呂につかって、鼻歌を歌うイメージでやってみてください」とお願いします。

実は、ちょっとだけ鳴らすのにコツがいるのですが、それさえつかんでしまえば、あっというまにサックス奏者です。「ライト」には物量的なライトさと、気軽に始められるというライトさ、両方の意味合いを込めています。

ちなみに、ゆるミュージックの活動をする

中で気づいたことがあります。「楽器って、そもそもが人と人との接点だったんだ！」ということです。２０１９年12月に横浜で「いきなりみんなでクリスマスコンサート」というコンセプトで、その場に遊びにきた来場者が、即席でバンドを組んで、いきなり音楽演奏を披露するというイベントをやりました。すると、初対面同士なはずなのに、アイコンタクトをしたり、終わったあとで自然に会話が始まったりと、楽器を媒介にすることで、新しい人間関係が生まれていたのです。これも楽器の本質だったんだな、とあらためて発見しました。

ニューマイノリティはあなたの中に

このように、スポーツから始まったゆるライゼーションですが、今ではどんどん楽器もゆるくしています。特にスポーツは、自分が世界で一番とっつきにくいものをモチーフに始めたわけですが、不思議なことが起きています。

それは、スポーツをゆるめることが生きがいになっているということです。

理由はシンプルで、ゆるめればゆるめるほど、どんどんスポーツが好きになって、生きづらさの原因が取り除かれていく安心感があるからです。

だからこそ、ぼくが会う人会う人に聞いているのが、「あなたの中にニューマイノリティは眠っていませんか?」ということです。この社会に100%満足している人なんて絶対にいないので、必ず何らかのマイノリティ性はその人の中にあります。でも、それって「恥部」だと思うと、なかなか表に出てこない。だからこそぼくは「誇れるもの」として、自分がスポーツマイノリティということを謳っています。マイノリティプライド。このマイノリティ性は、社会をまた一歩前進させる宝物である。そう思った日から、自分をちょっと好きになれます。

第7章

働くをゆるめる

江戸の職業観

なにせ、人生のコンセプトが「本日も、本の日。」なのでよく本を読むのですが、やっぱり日本ってYURU大国だ！　と思わせてくれる本と出会うことがよくあります。

たとえば、日本における「仕事」や「働く」と聞いて、どんなイメージが浮かびますか？　満員電車、管理職がいっぱいで出世ピラミッドが混んでいる、給料が上がらない、などなど。なんとなーく重い、暗いイメージがある人が多いのではないでしょうか。

そう、まさに日本の働き方こそガチガチなんですね。一斉にリクルートスーツを着て、「せーの！」で就活を始めるその瞬間から、ガチガチキャリアの序章がスタートしています。でも、もともと日本の働き方って、今みたいにガチガチだったのでしょうか？　そんなことはありません。

ぼくは、『江戸商売図絵』（三谷一馬・著）という本が大好きなのですが、この中には江戸時代のいろいろな仕事が載っています。もう、尋常じゃないぐらい職業が多様で、「ダイバーシティ社会が、過去の日本で実現されていたんだ！」と衝撃を受けました。

たとえば、眼鏡屋、医者、歯磨売り、おでん屋など、今でいうエッセンシャルワーカーのような仕事から始まり、数珠屋、油屋、看板書きなど、当時ならではの仕事もいっぱい。

でも、すごいのはここからです。

「一人角力」。ひとりずもうをとる仕事があったのだとか。ストリートパフォーマーですね。力士ふたり分の姿をするだけでなく、行司の役までやったり、当時の人気力士のマネも取り入れながら、観客を笑わせていたそうです。

「親孝行」。男の人形を胸にぶらさげて、「親孝行でございい」と言って歩いて回ったそうです。本物の人間を背負う場合もあったのだとか。

これ以外にも「すたすた坊主」「うろうろ船」「わいわい天王」など気になる仕事が満載なのですが、本書は『『江戸商売図絵』解説本」ではありませんので、ご紹介はこれくらいにしておきます。

おわかりいただけたでしょうか？　日本の職業観は実にゆるいものだったのです。今、会社に所属はしているけれど仕事がない「社内失業」が多いと聞きますが、それはもしかしたら天職と出会っていないだけかもしれません。

いまこの本を読んでいるあなただって、営業ではなく「すたすた坊主」、経理ではなく「わいわい天王」の方が向いている可能性があります。これ、ぼくは本気で言っています。

明治維新以降の殖産興業と大戦後の高度経済成長（漢字多い）が、こうした職業多様性を滅ぼしてしまったのだと容易に想像がつきますが、大量生産社会や効率重視社会（漢字多い）が30年ほど前に限界をむかえてしまった今こそ、日本はゆるい職業観をとりもどすべきだとぼくは考えています。

というか、それ以外に道はないのではないでしょうか。

いつものごとく、日本の働き方をゆるめることをしようと思ったときに、ヒントになったのは、障害のある友人たちでした。

障害者から学ぶ働き方

たとえば、視覚に障害がある初瀬勇輔さんという友人がいます。初瀬さんは、なんと就職活動で１２０社中１１９社から落とされています。初瀬さんが言うには、「企業側は、視覚障害者を会社に入れてどんなメリットがあるんだって考えるんだよね」とのことです。

悲しいけど、確かに企業側の採用基準は、ストライクゾーンがあまり広くありません。なぜなら採用側は、今ある職種に、目の前の学生をあてはめながら採用に挑むからです。「何か大きな事を成し遂げそうだから」とか「今までにうちにいなかったタイプで予想つかないから」みたいな基準で学生を採ってくれる企業や人事は、いまだにかなりレアだと思います。そう考えると、一般企業に勤めることができる障害者はほんの一部です。

で、初瀬さんの話に戻ります。彼はどうしたかというと、悩みに悩んだ末に、「119社落ちるほど、ぼくってそんなに悪くないよな」と気づいたんです。問題は自分ではなく会社側にある。そう「決める」ことにしたんです。

その後、初瀬さんは内定をもらった会社で5年間勤務を続けるのですが、このときの気持ちを忘れたことはなく、その後自分の会社を立ち上げます。また、今では30を超える企業や団体の理事や顧問もつとめられている、スーパー働き人です。

初瀬さんは中途失明で、人生の途中で見えづらくなったのですが、だからこそ健常者の気持ちもわかるし、障害者の気持ちもわかります。このハイブリッド性を活かし、両者の架け橋になる仕事をたくさんやっています。わかりやすいところで言えば、障害者の雇用支援です。企業とつなげるときに、やっぱり初瀬さんみたいな人がいた方が、ことがスムーズに進みます。

この初瀬さんの働き方がいいのは、誰の顔色もうかがっていないことなんですね。会社に依存していないから、ご機嫌をとらなくちゃいけない社長とか上司もいない。はたから見ていると、すごくのびのびと働いています。

これってつまり、会社に自分を合わせるんじゃなくて、社会を自分に合わせる働き方なんですよね。

よく考えてみると、ぼくの周りには、初瀬さんだけではなく、こういう働き方をしている障害のある友人が何人もいました。

みんな、本当は企業に勤めたかったんです。だけど、内定がもらえなかったから、やむをえず自分に頼る働き方を始めたら、その仕事が軌道に乗って今に至る。で、「名前がつけづらい職業」が多いんです。オリジナルな働き方が多い。

みなさま、そろそろお気づきでしょうか？　そう、この働き方って、あの愛すべき江戸時代の人たちそっくりだと思いませんか？

今は、寿命よりも会社寿命の方が短い時代だから、ひとつの会社に依存しすぎるのは逆にリスクだ、みたいになっていますよね？　そうは言っても、なかなか行動様式を変えられないのがぼくら人間なので、どうしたらいいかわからない。

自分の力と自分の名前で生きているインフルエンサーの話を聞いても、「どうもこれは、同じやり方では自分には馴染まないな」と思うこともよくありますよね。

つまり、働くをどうやってゆるめるか、自分に合った働き方と巡り合えるか、の事例がきわめて少ない状況なんです。だったら、今を生きる障害者からヒントを得るイベントができないかなと思いはじめました。

Techo School開催

そこで、2018年3月に、虎ノ門ヒルズをジャックして「Techo School（手帳スクール）」というイベントを開催しました。

どうしてこの名前かというと、「障害者手帳を持っている先生が、次の働き方を教えてくれる学校」というコンセプトだからです。で、なぜローマ字にしたかというと、なんかテクノ（Techno）っぽくてカッコいいなと思ったから。ときにはこういう直感も大切です（笑）。

キャッチコピーは「こんな働き方、あるんだ！」。参加者のほとんどが、福祉に興味がある人というより、働き方に悩んでいる人でした。当日は、耳が聞こえない映画監督、全盲の弁護士、片腕しか動かないVR療法師、など、ユニークすぎる働き方をしている「手帳先生」を8人呼び、話をしてもらいました。

ちなみに先生たちには「道徳禁止」をお願いしました。障害のある方が話すと、どうしてもいい話やエモーショナルな話になってしまうことが多いんです。でも、そうすると「どんな話を聞いたか」よりも「なんか感動したな」という印象が強くなってしまいます。

そうじゃなくてフェアに、冷静に、それぞれが格闘して獲得してきた、みんなが喉から手がでるほど欲しい働き方の話をしてください、とお願いしました。

ちなみに一般的なセミナーとかに行くと、なんでもかんでもパソコンでメモしてる人っているじゃないですか。あれ、絶対頭に入らないと思うんですね。だから、この日は小さな「生徒手帳」も参加者に配りました。で、授業中は「スマホやノートパソコンでメモをしてはいけません。配った小さな手帳の、小さなスペースに、本当に大切だと思ったことだけをメモしてください」と、参加者に伝えたのです。そうすると能動的に編集者モードで授業を受けられるし、なにより1日の学校が終わったとき、その手帳は「働き方の羅針盤」がぎゅっと詰まった、働き方のバイブルになります。

イベントが終わると、興奮した様子で参加者がぼくのところに次々駆け寄ってきました。「障害のある方の話をそもそも初めて聞いたんですが、クリエイティブな働き方に衝撃を受けました」「普段セミナーに行くと『いい話を聞いたな』で終わるんですけど、今日は自分でよく考えたな、と思える内容でした」「障害のある方を見る目が変わりました」。

実は、ぼく自身も当日ファシリテーションをしながら、目から鱗が落ちることの連続でした。こんな働き方、あるんだ！　ありなんだ！　と大興奮。

働き方発明！

たとえば、寺田ユースケくんという車いすユーザーにも先生をつとめてもらいました。彼は、もともとは吉本興業で芸人をやっていましたが、なかなか芽が出ませんでした。すると次は歌舞伎町でホストを始めます。車いすホストです。でも、お酒が飲めないのと、必ず終電で帰らなくてはいけないことと、人の話を聞くことがあまりうまくないことでもって、やめてしまいます。なんでホストを選んだんだと思いましたね（笑）。

次は何を始めたでしょうか？　なんと、「車いすヒッチハイカー」です。寺田くん曰く、「車いす押してくれませんか？」ということで、リレー式でどんどんいろいろな人に車いすを押してもらうことで、寺田くんは目的地に到着することができて、押した方の障害者理解が進む、という企画とのことです。

そんな寺田くんは、今は車いすYouTuberとして頑張っています。なかなかに脈略がないキャリアに見えますが、何がその根底にあるのでしょうか？　実はこの日、寺田くんは

「自分を驚かせる働き方」というテーマでお話をしていました。そう、芸人の次にホストをやり、ヒッチハイカーの次はYouTuberに転身するという働き方は、彼が自分自身にサプライズを仕掛けつづけていたのです。どうしてこんな働き方なのか？　寺田くんは言います。

「自分に何が向いているかは、わからない。だからこそ、一見自分に向いていないものでも、とりあえず1回やってみる。で、うまくいかなければまた次にいけばいい。大事なのは同じようなチャレンジを2回しないこと。自分を驚かせつづけること」

どうでしょうか、この思い切りの良さというか、捨て身の戦法は目をみはるものがありますよね。仕事における遊牧民のようです。でも、ますます不確実な時代に入っていくからこそ、あえて自分でも予想ができない働き方をしてみる、というのはもしかしたらとても正しい戦い方なのかもしれないと思ったんです。

もうひとり先生を紹介します。今村彩子さんは、生まれつき耳が聞こえません。で、今は映画監督をやっています。なぜ？　どうやって⁉　と思いますよね。

今村さんが映画に興味をもったきっかけは、小学生のときに、お父さんが洋画をレンタルしてくれたことだそうです。たしかに、字幕がついている分、邦画よりも理解しやすいですよね。で、映像の仕事がしたいと、就職活動でテレビ局を受けるんですが、面接までいって落とされてしまいます。これ、初瀬さんのときと同じで、耳が聞こえないことが不採用の理由のひとつになっていることは、大いにありえます。それはさておき。

ならばと、やっぱり今村さんも自分で〝Studio AYA〟という会社を立ち上げるんですね。で、映画の自主制作を始めます。特徴的なのは、すべてドキュメンタリーであること。今村さんがカメラをまわして編集すること。音楽の作曲と選定、音楽を映像にあてる作業は別の人がやること。

ぼくが一番「おお!」と感銘を受けたのは、『Start Line』という映画です。今村さん自身が自転車に乗って、沖縄から北海道まで行くお話なんですね。この直前にお母さんとおじいちゃんが亡くなっていて、もうこれを機に自分を変えよう、聞こえる人の世界にもちゃんと飛び込んでいこう、と思ったらしいんです。

ふつう映画って、フィクションにせよノンフィクションにせよ、主人公の成長が絶対条件じゃないですか。弱かった主人公が仲間と出会い、守るものができて、力をつけて、敵をやっつける。これが王道的な映画の、必勝パターンだと思うんですけど、『Start Line』という映画では、今村さんがあまり成長しないんです。

耳が聞こえて、手話もできる伴走者といっしょに日本を横断するんですけど、今村さんはずっと怒られてるんですね。「そんな走り方じゃ危ないよ!」「もっと聞こえる人と接しないとダメだよ!」と。

で、後半、今村さんは聞こえる世界にバンと飛び込んでいくのかな？　と期待するんですけど、そんなこともないんですね。淡々と、そのまま終わる。

でもぼくはこの映画を観たときに、すごく共感したんです。ぼくらって、映画の主人公みたいに、ほいほい成長できるわけじゃないですよね。成長したと思ったら、またふり出しに戻ったり、鈍くさく、泥くさく、生きていますよね。

だからこそ、フィクションの映画を観て、急成長を遂げる主人公に憧れることはあっても、ぼくも頑張ろうと思って行動にうつしたことは正直一度もないです。

でも、今村さんの映画を観たら、ぼくも頑張ろうって思えたんですよ。

つまり映画って、脚本の出来がいいとか、映像が大変美しいとか、そんなことはさておいて、観た人にどんな影響を与えるかが大事だなと思ったときに、今村さんの映画はすごく「機能している」と感じたんです。

今村さんの登壇テーマは「企業に属せない働き方」。たぶんこういう映画って、大手映画制作会社だと、絶対にＯＫが出ないですよね。「主人公が成長してないじゃないか！」と。だからこそ、企業に属せないことを逆手にとって、フリーだからこその映画をつくっている。やっぱり、その姿も、学びが大変に多いのです。

この「Techo School」でわかったことは、当日話をしてくれた障害のある先生たちはみんな、「空気を読まない働き方」「課題フェチな働き方」など、自分で新しい働き方を発明しているのです。すごいですよね。働き方改革じゃなくて、働き方発明。

実はこれ、まさにゆるライゼーションなのです。目の前にある仕事が、全部自分に合わない。だったら「働く」をゆるめればいい。日本のガッチガチな仕事観にテコ入れすればいい。

ぼくがスポーツをゆるめたときは、スポーツを起点にしました。障害を持つ友人たちの場合、立脚点は自分です。自分って誰だっけ？　何を諦めるべきで、何を磨くべきだっけ？を走りながら自問自答して、そこから導き出されたのが、自分らしさ満載の仕事です。

このイベントが終わったあと、ぼくは思いました。マジョリティは、今の社会に安住する人。で、社会の不備と日々向き合っているマイノリティが、社会を変える人なんだなと。だから、社会が不安定なときは、もっとマイノリティに頼っていい。もちろんこのマイノリティには、弱みやコンプレックスを抱えているすべての人を含みます。あなたもです。すべての人がマジョリティとマイノリティのダブルなわけです。マイノリティな自分は大事にした方がいいですね。

と、障害のある友人たちから「仕事をゆるめる」術や多くの気づきをもらったわけですが、またまたある日思いました。「Techo School」の先生たちのような「世界にひとつだけの仕事」を、もっと戦略的につくることができないだろうか?

「特業」という第3の働き方

障害のある方は、特別支援学校を卒業するとA型やB型の作業所へ通うことが少なくありません。

A型は正規雇用のような感じで、いろんな福利厚生も受けられるし、給与水準も高くはないですが月に十数万円程度もらえます。

でも、B型だと社員契約も交わさないし、工賃も月に数万円程度なんです。ぼくもよくB型作業所の現場へ行くのですが、仕事内容は商品の仕分けやステッカー貼り、封書のシール貼り、縫い物、もしくはパンの製造などです。

最近は減っているという話もありますが、学校によっては、生徒が中学校に進学した時点で、週に何度か「作業」の時間があるんです。中学1年生、つまり12歳、13歳で作業着を着て、学校の中で授業として仕分け作業をしている。もちろんこれは、未来に備えるために大切な時間です。それもわかります。しかし、ある意味で、生徒たちの未来の可能性が、早い段階で狭められているとも言えます。

だけど、障害のある子どもたちと触れ合うと、彼らはものすごくユニークネスが高いことがわかります。なので、ぼくはそのユニークネスを仕事にできないかと実験を始めています。

「本業」と「副業」という働き方がありますよね。

本業は、ワークタイムを一番費やすメインジョブ。副業はサブ的に、本業の隙間でやる仕事。いま、3つ目の働き方として「特業《とくぎょう》」というものを、ぼくはつくろうとしています。「特業」は、その方の特徴、特技、特性を反映させた仕事です。それがいずれ本業になるかどうかは未定でも、「自分はこんな特業をやっています！」と宣言することで、人とながりがわかるし、その特業にお金を払いたくなるパトロンのようなサポーターも出てくるだろうと考えています。

もう実験は始まっていて、障害のある子どもたちに特業用の名刺を持ってもらい、仕事をしてもらっています。人によってさまざまな特業があるのですが、ぼくが好きなのは「ジャッジマン」という特業を持つ男の子です。

彼は小学4年生の身体障害児なのですが、発語がちょっぴり苦手で、いつもなめらかに話せるわけじゃありません。だけどプロ野球の観戦が大好きで、特に審判がお気に入りなので、「アウト！」と「セーフ！」は堂々と言えるんです。なので、お母さんとも相談して、彼には「ジャッジマン」という特業をやってもらうことになりました。

「ジャッジマン」とは何か。彼に悩みごとを相談すると、「アウト」か「セーフ」でズバッと答えてくれるんです。たとえば、「最近忙しくて、湯船に浸からずにシャワーばっかりになっちゃってるんだけど、ダメかな?」と尋ねると、ジャッジマンは「セーフ!」と本当に力強く、はっきりと答えてくれるんです(笑)。相談者もこれで自信を持てますよね。

また別のある人が「私、ここ数日飲み歩いてばかりなんだけど、こんなんで出世できるかな?」って聞いたんです。そしたら、回答までちょっと間があって「アウト!」と(笑)。ジャッジマンなりの判断で答えるので、その間合いや溜めが面白いし、「アウト」「セーフ」を言い切ってくれます。堂々と判断してくれるから、言われた方も清々しい気分になるんです。これだけ曖昧な日本社会において、はっきり白黒をつけてくれることで、すごく人気があって、相談者だけでなく周りで見ていても面白い。こういう特業を、障害のある子どもたち、そしてお父さんお母さんと一緒につくっています。

本業と別に特業を持つと、心のセーフティネットになって余裕が生まれ、本業にも良い影響が出るんじゃないかという仮説を立てています。誰かに雇われるわけじゃなくて、特業の場合は「自分が自分の雇い主」。これは、ひとつの自立の形としていいなと思っています。また、特業とはオンリーワンでもナンバーワンでもあり、「ファーストワン」の職業を持つことでもあります。これは誰にも代替できない、究極のクリエイティブクラスなんです。

特業展の成功

2019年8月に「特別支援学校の特別おもしろ祭」というイベントを企画したのですが、その中で「特別おもしろい仕事」と題して、特業展をやってみました。

この日働いたのは、ジャッジマンを含む9人の、障害のある子どもたち。事前に「音楽コンシェルジュ」や「ぷにぷにヒーラー」など、とってもチャーミングな特業を一人ひとつ考えました。

当日、特業展は大大大盛況！　人が途切れることなく、子どもたちも緊張しながらも、楽しんで初仕事をこなしました。

ゆめちゃんという車椅子の女の子は、当日「流し目ギターデュオ」という特業をやりました。何かというと、ゆめちゃんは視線を動かせるので、モニターの中のデジタルギターを、流し目で演奏する、というデジタルミュージシャンをつとめたのです。最高じゃないですか？　で、ゆめちゃんのお母さんがイベント終了後に、SNSにこんなことを書いていました。

「もう働かなくていいよなんていえない」

無事に、流し目ギターデュオを披露することができました。真面目で頑張りやのストイックな娘は、ほとんど持ち場を離れることなく仕事に熱中していました。お客様もたくさんきてくださり、「すごーい！」「どうやってやるの？」「わぁーいい音色」「やってみたい！」と、とても励みになりました。娘ならではの責任感が垣間見れて感動しました。

こんな経験しちゃったら、卒業後、どうなっちゃう？

ゆめちゃんが働ける仕事はないよ。雇ってくれる会社はないよ。働かなくていいよ。なんて言えなくなっちゃった！　てゆーか、言わせないぞ！

この特業ですが、思わぬ効果もありました。「塗り絵はみ出しマスター」という特業のかのんちゃんは、普段は特別支援学校に通っているのですが、副籍交流という仕組みがあって、定期的に近所の普通学校にも行っています。ある日の副籍交流で、かのんちゃんが、試しに特業名刺を出してみたところ、「名刺持ってるの？　すごい！」「塗り絵はみ出しマスターって何!?」と、みんなから質問ぜめにあったそうです。

障害がある人と出会うと、慣れていないと「どう接していいんだろう」と一瞬迷うときがありますよね？　でも特業と特業名刺があると、それが社会の窓となり、世界が広がっていくだろうと期待させてくれる出来事でした。働くとは本来、自分を自分たらしめてくれるものなのです。

働く喜びを奪わない

障害のある人に働いてもらう、という話をすると、反対する人がいます。「よけいなことをしなくていいのでは」「もっと障害者は保護すべきじゃないの？」。もちろん多様な考え方があるとは思いますが、「働きたい」「人の役に立ちたい」は、障害があってもなくても、誰もが持っている根源的な欲求ではないでしょうか。

日本理化学工業という、ぼくが大好きな会社があります。ここはダストレスチョークといって、身体に無害な、粉の出にくいチョークを何年もつくっています。窓やお風呂にも落書きできる「キットパス」という商品も出していて、「世界の楽書き文化を応援したい」というワクワクするような想いで仕事をされています。

実はこの会社、社員の7割以上が知的に障害のある方なんです。知的障害者の中には、もちろん人にもよりますが、ひとつの作業に没頭するタイプがいます。日本理化学工業は、彼らのこの特性を見事に活かして、チョークを切ったり、箱詰めしたりする仕事を、適材適所でふりわけています。
日本理化学工業が大切にしている言葉があります。

「人にとって必要なのは、人に愛されること、人にほめられること、人の役に立つこと、人から必要とされること、の4つです。働くことによって愛以外の3つの幸せは得られるのです。その愛も一生懸命働くことによって得られるものだと思う」

これは人間の真理だなと思います。だからこそ、働く喜びを、障害のある人から奪ってはいけないと思うんです。さらに言うと、目の前にある「決まり」のような仕事の中に、無理に当てはめるべきではない。もともと障害のある方が持っている「強い独自性」から、新しい仕事を生むことが必要じゃないでしょうか。手間暇かかりますけど、手間暇かけるのも楽しくないですか?

ちなみに日本理化学工業で働いている、障害のある社員の中には、大雪の日でも出社しようとする人が多いそうです。なぜかというと、この会社は、世界で一番「自分が認められる」場所だからなんです。さすがに「天候が荒れている日は無理しないでください」と伝えるそうなのですが、それでも会社に行こうとする社員の方がいます。
障害があると働き口があるかわかりません。そんな不安の中で出会った日本理化学工業。しかも、得意な仕事ができて、人の役に立てて、褒められる。そりゃ会社に行きたくなりますよね。

そんな社員たちがつくっている商品は、彼らの生き生きとした人生を凝縮したかのように素晴らしいんです。縁あって、キットパスのコピーを書かせていただいたのですが、「いい。」というコピーにしました。「どこに描いてもいい。何を描いてもいい。もっと自由でいい。君は、君でいい」。それは、キットパスを使っている子どもたちの伸び伸びとした姿を見ているうちに浮かんできました。すべての人をやわらかく肯定してくれる言葉です。いい働き手、そして働き方は、生活者にもいい影響をもたらしてくれるんです。そこには、資本の循環だけではない、「いい」の循環があります。

これからは、急激な近代化をとげた20世紀の反動で、再び日本らしさを取り戻す時代になるとぼくは予想しています。そう考えると、今は令和というより「ネオ江戸」なのかもしれません。今後ますます障害がある人の時代になっていくでしょうから、江戸をヒントに、どんどん特業を後押ししたいです。

すべての人に最大限の敬意を払い、必ずその人らしさがあるという考え方に拠って立ち、ゆるい職業観を取り戻したいんです。障害のある仲間たちと共に。

第8章　みんな普通で、みんな普通じゃない

ぼくの息子は目が見えないだけでなく、知的障害も持っています。今7歳なんですが、知的レベルは3、4歳児程度です。

で、彼は重度の花粉症でもあるのですが（本当いろいろ重なる）、小児科でいつもアレルギーの薬をもらいます。目が見えなくて、知的に遅れがある息子は、まだ粉の薬を飲んでいます。すると、お医者さんから必ず言われます。

「普通、7歳だと錠剤なんですけどね」

そのたびに「またか」とため息をつきます。

この「普通のふるまいを求められる」って、障害のある方なら、みんな似たような体験を持っています。たとえば、筋力が弱い娘さんを「子ども用車椅子」に乗せて、電車に揺られていたあるお母さん。突然ご高齢の女性から、

「普通この歳にもなってベビーカーに乗らないわよ。恥ずかしい」

と言われたらしいのです。そもそも、それベビーカーじゃない時点で大間違いなんですが、それにしても、わざわざ「普通じゃないのはおかしい」ということを赤の他人に忠告

するのは、どういうお気持ちなんでしょうか。

それは、日本では特に普通であることが求められるからです。精神的超無菌社会。いわゆる障害者じゃなくても、たとえば女性なら「家事をちゃんとするのは普通」とか「普通は夕食に冷凍食品なんか使うもんじゃない」と、姑から小言を言われてしまう、みたいな話ってよくあるじゃないですか。

この「普通病」がやっかいなのは、誰かが明確に指示しているわけじゃなくて、やっぱりそういう空気が支配していることなんですね。であれば、戦略的にゆるめなくてはいけません。ステレオタイプをみんなで一斉に捨てて、手かせ足かせになっている普通呪縛から解き放たれましょう。

普通に憧れるけど、普通はイヤ

ちなみにぼくは逆に、小さい頃から「普通」への憧れがありました。

ずっと自分は普通じゃないと思って生きてきたからです。親の仕事の都合で海外で生活していた頃は「アジア人」だし、日本へ帰ってきたら「帰国子女」だし、生まれたときから「スポーツ弱者」だし。いわゆる世間的な「普通」ではないですよね。この「普通じゃない」をどうやって「普通」にしていくか、それをあの手この手で、ずっとやっているんです。

ぼくは大学時代、「普通」にすごく憧れていたので、「没個性」が自分のテーマでした。ただでさえ帰国子女として言動が浮きがちだったので、わざとみんなと同じように、大学の授業をサボって、みんなと同じようなアルバイトをして、みんなと歩調をぴったりと合わせました。いかにみんなが乗っているエスカレーターに同乗するか、「日本の普通の大学生」になるかに自分のすべてを掛けていたんです。社会に埋没している感覚が心地よく、積極的に思考停止していました。

でも、やっぱり無理は続かないもので、就活をする頃から「普通でつまんないな」と、自分自身のことを感じるようになりました。みんなと同じリクルートスーツを着て、金髪だったのを黒髪にして、面接では当たり障りのない受け答えをして……1年間に二言しか喋っていなかったときよりも、自分が無色透明人間になってしまった、と感じていました。普通に憧れるけど、やっぱり普通はイヤだな、と、普通に翻弄されてきたんです。ああイヤだイヤだ。

普通障害という新しい障害

「普通はイヤ」という悩みって、思い当たる方も多いんじゃないかと思います。障害者には障害者の悩みがありますが、健常者にも健常者の苦しみがあります。自分が普通であることの苦悩って、しんどいですからね。

「自分には何もない」

「これまで普通の経験しかしてこなかった」

自分は平凡だと思いこむがゆえの苦悩です。

最近、いわゆる健常者の人たちから、ぼくのところにいろんな相談が来るんです。若手ビジネスマン、経営者、専業主婦、ＮＰＯ法人の代表などなど、相談者の仕事はさまざまですが、相談内容で多いのがこの「普通であることの苦悩」です。

今は普通であることがまるで障害のようになってしまっているんですよね。

特に大企業のビジネスマンに多いのですが、ユニークな存在でないと生き残れない時代に入っているのに、本人はいい歳になってしまっているので、どう対応していいのかわからない。典型的な「普通障害」です。

ぼくも大人になってから「自分が普通すぎてイヤだ」と思い続けていましたが、それでも目が見えない息子が生まれたときは、「普通」に憧れました。今でこそ息子を見ながら、「耳にiPhoneをあててYouTubeを聴くスタイルって、斬新！」などと普通じゃないことを楽しんでいます。だけど、息子が生まれた直後の何か月間は、やっぱり「普通がいいなあ」

と思っていました。

でも、もしも30年後の世界で「普通の呪い」が解かれていたら、素敵じゃないですか？

生まれてきた子どもに障害があろうが、どうなっても「みんな違って、みんな普通で、みんな普通じゃない」が当たり前の社会って、生きやすいと思うんです。

マイ・ベスト・喜怒哀楽

社会人になったとき、ぼくは「マイ・ベスト・喜怒哀楽」を整理してみました。

これまでの自分の人生で、一番喜んだこと、怒ったこと、悲しかったこと、楽しかったことを、それぞれ思い出してまとめてみたのです。

22歳だった頃のぼくにとっては、
●悲＝1年間に二言しかクラスで喋れなかった、パリのイギリス人学校での生活。
●怒＝そのパリのイギリス人学校へ、自分で決めて転校したこと。そんな選択をしてしまった自分自身への怒り。

悲しみと怒りが、ばっちりつながっていますね。

マイ・ベスト・喜怒哀楽（22歳）

喜：ギャグエッセイ
怒：転校の選択
哀：1年間に二言
楽：200人ライブ

●喜＝小学6年生のときにギャグエッセイを書いたら、先生にすごく褒められたこと。文章を書くのはけっこう好きだったのですが、親以外から褒められたことがほとんどなくて、社会人になる頃にもこれがマイ・ベスト・「喜」でした。

●楽＝学生時代から続けていたバンドで、200人の前でライブをやったこと。当時の自分としては本当に楽しい時間だったんですね。忘れられません。

なので、自分が楽しかったこと（ライブでお客さんを楽しませることができた経験）と、喜んだこと（文章や物語を褒められたこと）を活かして、怒ったこと（自分の軽率な判断や哀しかったこと（誰からも相手にされなかったこと）を掛け合わせて、コピーライターになりました。

社会人になってからは、「喜」と「楽」が更新されました。自分が書いたコピーがデビューした日は、先生にギャグエッセイを褒められたインパクトより大きかったし、大勢の

マイ・ベスト・喜怒哀楽（30歳）

喜：コピーデビュー
怒：転校の選択
哀：1年間に二言
楽：チームでCM制作

仲間たちと、全国でO.A.されるCMを日夜練る仕事は、毎日が文化祭前夜みたいで本当に楽しかった。

ところが、息子が生まれたときに、この「マイ・ベスト・喜怒哀楽」の悲しみと怒りの部分がガラッとアップデートされました。

●哀＝息子が障害を持って生まれてきたこと。
●怒＝「どうしてうちの息子なんだ」という、天や運命への行き場のない怒り。

自分の10代前半の出来事なんてどうでもよくなって、悲しみと怒りが一気にアップデートされたんです。このとき、喜怒哀楽バランスが一気に崩れました。CMが全国に流れたという喜びと、息子に障害があるという哀しみを天秤にかけると、そりゃ哀しみの方が重いんですよね。つまり、人生におけるネガティブ天秤とポジティブ天秤が、アンバランスなほどにネガティブな方に傾いたんです。今思い返しても、なかなかしんどい時期でしたね。

でも、人生って面白いなと思ったのはここからで、人生のネガ面が増えたら、それに呼応してポジ面もアップデートされたんです。

マイ・ベスト・喜怒哀楽（32歳）

喜：CM全国放送
怒：天への恨み
哀：息子に障害
楽：チームでCM制作

一時期、「もしかしたら息子の命も危ないかもしれない」と言われましたが、命に別状はありませんでした。ただ、手術を繰り返して、なかなか当たり前の日常を送れない日が続いた。

で、息子の目のことが発覚して2か月くらいしたら、ようやく入院がひと段落して、息子と妻が家に帰ってこられました。

そこで「3人で一緒に散歩しようか」という話になった、なにげない土曜日の夕方。このとき、ぼくは今までの人生で感じたことがないくらい幸せを感じました。そのときの赤と橙色と紫のグラデーションがかった夕焼けを、肌で感じた風のやわらかさを、胸に抱いた息子の体温を、今でもありありと覚えています。何かに怯えることなく、散歩できることほど嬉しいことはないなあ、と、このとき心底思いました。

また、息子がきっかけで仕事スタイルが変わったことにより、いっそう仕事にやりがいを感じる日々が続いています。「ゆるスポーツランド」という、世界ゆるスポーツ協会が一年に一度開催するお祭りがあるのですが、２０１６年5月に初開催したときは本当に楽しかった。自分たちで考えた「こういうスポーツもありだと思うんですけど、どうでしょうか？」という提案に対して、数百人の方が参加してくれました。大勢の人が笑いながらゆるスポーツを楽しんでいる光景を見て、主催者なのにぼくもその場を楽しんでしまった。それは自分が描いていた、夢のような光景そのものだったんです。

マイ・ベスト・喜怒哀楽（37歳）

喜：家族で散歩
怒：天への恨み
哀：息子に障害
楽：ゆるスポーツランド

自分の感情を客観視するために始めた「マイ・ベスト・喜怒哀楽」でしたが、途中でぼくは面白いことに気がつきました。

誰かに「マイ・ベスト・喜怒哀楽」をやってもらうと、その人らしさが必ず見つかるんです。

つまり、「マイ・ベスト・喜怒哀楽」とは、普通じゃない自分を掘り起こしていく作業だったんです。

ぼくはよく企業研修をやるのですが、入社して10年、20年経って、いろいろと悩んでいるみなさんに「マイ・ベスト・喜怒哀楽」を書いてもらいます。長年勤めてきたけど定年はまだまだ先、でも自分ならではの強みが見つからない。ある意味で「普通障害」のあるみなさんに、自分のこれまでの人生を見つめ直してもらうんです。そうすると、自分の中の普通じゃないものが、誰でも見つかります。

たとえば、人生で一番楽しかった経験が「ミスチルのライブへ行ったこと」だったとします。単体でそれだけ取り出すと、他者ともかぶるエピソードかもしれません。でも、それに「一番悲しかったこと」「一番怒ったこと」「一番喜んだこと」を掛け合わせると、4項目すべてが他人と被ることは絶対にありません。つまり、喜怒哀楽の掛け合わせこそがあなたの人生で、そこであなたのことを判断しましょう、ということなんです。

普通障害で苦しんでいる人はみんな、「私なんて本当に普通です」と言うんですが、それは「ミスチルのライブ」の部分しか見ていないからです。喜怒哀楽すべての経験の総体が自分だと捉えてあげましょう。そうすると、「普通じゃなかった、私、変態でした！」ということに気づけます（笑）。

現代のように「特別であること」が求められる時代にあって、「普通障害」という悩みは大きいと思います。でも、その悩み自体、「普通」の呪いに囚われているだけなんです。

注意深く観察してみると、確かにみんな普通だけど、実はみんな普通じゃない。みんな違って、みんな異常なんです。

このように、「マイ・ベスト・喜怒哀楽」は人を翻訳する作業、その人自身も気づいていない何かを言語化する作業とも言えます。

みんなが普通じゃない自分を発見することが、新しい普通の発見や、普通の範囲を広げることにつながっていきます。その作業をやらないと「これまでの常識だった普通」という、狭い部屋の中に閉じ込められたままで、息苦しい。だったら、窒息する前に部屋の模様替えをして、新しいドアをつくって、斬新な間取りにしてしまえばいいんです。

目指すは、自分の中の変態性の発見。みんな立派な変態だ、という気づきなんです。同調圧力を笑いながら打ち破りましょう。

「普通」という健常者と障害者の壁

ちなみに、息子が「普通、7歳だと錠剤なんですけどね」と言われた夜、Twitterに試しに「#FuToo」というハッシュタグをつけて投稿しました。

知的障害がある子に対して「普通この年になったら○○できるのにね」なんて言う大人は、これまで障害のある子と接してきてきて《ママ》ないんだろうな。その「普通」は限定された世界の話だと思いますよ。こういう「普通」の押しつけや強要がなくなるといいな。#FuToo

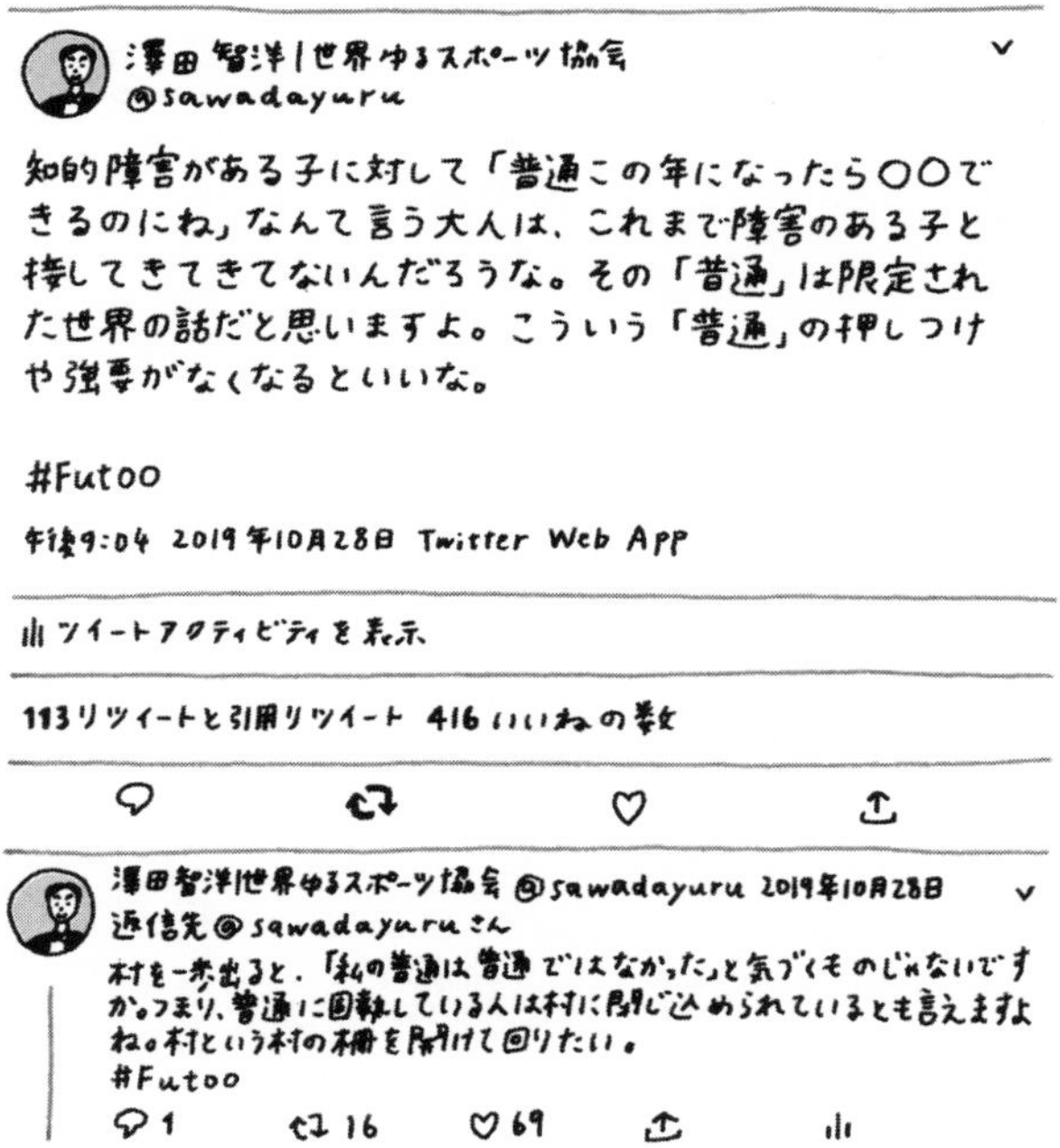
澤田智洋｜世界ゆるスポーツ協会
@sawadayuru
知的障害がある子に対して「普通この年になったら〇〇できるのにね」なんて言う大人は、これまで障害のある子と接してきてきてないんだろうな。その「普通」は限定された世界の話だと思いますよ。こういう「普通」の押しつけや強要がなくなるといいな。
#Futoo
午後9:04 2019年10月28日 Twitter Web App
ツイートアクティビティを表示
113リツイートと引用リツイート 416いいねの数
澤田智洋世界ゆるスポーツ協会 @sawadayuru 2019年10月28日
返信先 @sawadayuruさん
村を一歩出ると、「私の普通は普通ではなかった」と気づくものじゃないですか。つまり、普通に固執している人は村に閉じ込められているとも言えますよね。村という村の柵を開けて回りたい。
#Futoo
1 16 69

村を一歩出ると、「私の普通は普通ではなかった」と気づくものじゃないですか。つまり、普通に固執している人は村に閉じ込められているとも言えますよね。村という村の柵を開けて回りたい。#FuToo

すると、障害のあるみなさんから、同じような想いがたくさんつぶやかれました。

生まれ落ちた瞬間から脳にダメー

ジ負ってこの体だったから悲観の年数は長かった(今も悲観する瞬間はある)が、流石に30年近く付き合っているとそれが普通になる。慣れてしまう。何の事はなくなる。如何にして体を武器化(長所化)するかを考える時が堪らなく楽しい！ #Futoo

周りと違う＝普通じゃない なら 普通＝みんなと同じって事じゃん？それってつまんなくない？それなら普通じゃなくていい。私は服の流行りにだって流されないし、好きな物は好き。私は私のまま。 #Futoo

普通に。普通ってなんですか？私は誰かの普通に配慮しなきゃいけないなら普通なんて言いません。私の普通がないなら作り上げます。 #Futoo

ぼくら普通じゃないかもしれない。でも特殊じゃないんだ。もしかしたら特別なのかもしれないよ？だってマイノリティはマジョリティが知らない世界を知ってるんだから #Futoo

もう、めちゃくちゃ熱くなりました。みんな普通と格闘してきたんだなという、同胞たちへの勝手な共感。そして、「普通じゃない」と言われたことに対して、「普通なんてつまんない」「私には私の普通がある」と、それぞれのスタンスを確立していることへの憧れ。その奥に、これまでの葛藤や痛みを感じたからこそ、今そう言い切れるのはカッコいいなと思いました。

これって、障害者は「普通じゃないこと」と戦ってきていて、健常者は「普通であること」と戦っているとも言えます。つまり、ベルリンの壁ならぬ「普通の壁」が両者の間に立ちはだかっていて、一方は壁をよじのぼって東へと行こうとしていて、もう一方は西へとたどり着こうとしている状態です。つまり、交わりそうで交わらない。ここに大きなジレンマが発生しているんですね。

だからといって、「健常者と障害者の相互理解」みたいなワードが出てくると、ぼくは白けてしまうんです。それって、今の狭い「障害者像」に、健常者が合わせにいくみたいな窮屈さを感じます。あと「合理的配慮」という姿勢も、なんかガチガチだなとぼくは思います。もちろん、社会基盤をつくるためには必要なものではあるのですが、目の前に障害のある人がいたとしても、ぼくは「合理的配慮」という気持ちになったことはありません。それよりは、「この人の普通ってなんだろうな？　知りたいな」と、相手の普通に興味を持つことの方が、基本姿勢として大切だと思います。

普通を拡張する

ちなみに、「その普通、いいね！」という姿勢で生きていると、人生がどんどんマルチアングル化されます。どういうことかと言うと、カメラでたとえると、今自分が目で捉えている景色って「主観ショット」ですよね。映画でいうと『ブレア・ウィッチ・プロジェクト』のような、主人公目線のアングルが中心になっています。臨場感はあるんだけど、全体像を把握しづらいですよね。それが、人間のデフォルト状態です。

ところが、たとえば車いすの友人の話をたくさん聞いて、「なるほど車いす目線だと、歩き煙草が怖い、ということがあるんだ！」「話し相手が咳をしたら、飛沫を一身に浴びるようでイヤなんだな」など、「車いすの普通」に興味をもって、受け入れると、「ローアングル」のカメラが自分に足されます。何かというと、ふだん町を歩いていても、自分の主観カメラに、もっと低い目線のカメラも加わって、マルチ画面で世界を捉えることができます。

さらにそこに、ロービジョンの友人の話を聞いて、「なるほど、視野狭窄だと広い空間に人が散らばっているような野球はストレスがかかるんだな」とか「フォーカスが合わないからこそ、夕焼けが世界の火事みたいに見えて臨場感あるんだな」とか、また新しい普通を手に入れると、「3つ目のカメラ」が備わって、また人生に厚みが出る。
これって、大作映画を、複数カメラで一斉に撮るような感覚なんです。普通が複数ある状態から、世界を見ていく。

「普通の壁」を打ち砕くには、相手の普通を自分の普通に加えていく。もう、これしかないんですね。「普通」をゆるめることが必要なんです。普通が拡張されると、あっと言う間に、平行線をたどりがちな障害者と健常者の壁は崩れ、重なりが生まれます。

そのための、ある種の「リハーサル」として、ゆるスポーツは、スポーツごとに「違う普通」を設定しています。
たとえば、「緩急走」というゆるスポーツでは、座ったままスポーツをするイスリートであることが普通ですし、「ハットラグビー」ではかぶった中折れ帽子にラグビーボールを載せているのが普通です。

そうすると、複数競技をやってもらうと普通の定義が次々と揺らいで、なんかもう「みんな普通で、みんな普通じゃない！」ということが体感的に理解できます。このゆる化を、もっと社会全体に広げていきたいんですね。

誰もが、「威嚇するアリクイ」のような姿勢になってしまいます

みんなが「自分の普通は絶対ではない」「あの人の普通って面白そうだから、自分の人生にインストールしてみようかな」となることで、一気に潮目が変わって、再び社会はバラエティ豊かになって、やがて普通が世界から消えてなくなるんじゃないでしょうか。

「普通」はすぐひっくり返る

江戸時代に、塙《はなわ》保《ほ》己《き》一《いち》という全盲の学者がいました。かの有名なヘレン・ケラーも人生の目標にしていたと言われています。で、戦前の日本の教科書には、保己一の話が載っていたのですが、これがもう最高なんです。

ある夜、保己一が自宅で、弟子たちに学問を教えていました。すると、風が吹いてロウソクが消えてしまったのです。そうとは知らずに話をつづける塙保己一。弟子が言いました。

「先生、少しお待ちください。今風であかりが消えました」

塙保己一は笑いながら返しました。

「さてさて、目が見えるというのは不自由なことだ」

この話を知った瞬間、痛快すぎて震えました。「見えないのが不自由」という普通が、一瞬で逆転したのです。そう、環境が変わってしまえば、あるいは心の持ち方次第で、「普通」はひっくり返ります。保己一のような人物が日本にいたことも頼もしいのですが、なにより教科書にこのエピソードが載っていたという心意気がにくいですよね。パッと目の前が晴れるような、開眼体験の連続が教育ですからね。「普通」をゆるめるヒントは、やっぱり歴史にもありました。歴史は一番の先生です。

第9章 ガチガチな世界からの脱出法

2010年の年末、スペインでサグラダファミリアを見ました。建て始めてから130年も経っているのに、まだ未完成な建造物を見上げながら、ぼくは「社会みたいだな」と思いました。この社会も、まだまだ未完成です。永遠の未完ともいえます。

だけど、日本財団が2019年に実施した「18歳意識調査」で、驚きの調査結果が出ました。なんと、17~19歳の人たちの18・3%しか「自分で国や社会を変えられると思う」と回答しなかったのです。つまり、8割が、社会を変えることを、人生の早い段階から諦めているんです。

だからこそ、ぼくはこの本を書いています。

社会は可変で、全然まだまだゆるめられるとぼくは知っています。スポーツという、既得権益ガチガチの領域でも、ゆるめられる余地を見つけて、5年以上やってきているわけです。この章では、ガチガチな世界からの脱出をするための心得をご紹介します。

前例がなければ、前例になればいい

金澤翔子さんという、ダウン症の書家の方がいます。

翔子さんは、NHK大河ドラマ「平清盛」の題字を書いた他、建長寺、東大寺、伊勢神宮など、名だたる場所に書をおさめたり、ニューヨークやプラハなど海外でも個展を開催してきたスーパー書家です。

でも、大きな山となって立ちはだかったのが「ひとり暮らし」でした。ダウン症の方のひとり暮らしは、例が極めて少ないのです。「日本国内では聞いたことがない」とお母さんの泰子さんもおっしゃっていました。

そこで諦めず、ご実家の近くに家を借り、翔子さんは30歳になってから独立をします。はじめお母さんも「1週間で帰ってくるのではないか」と思っていたらしいのですが、翔子さんはひとり暮らしをつづけています。

一度、翔子さんのお部屋にお邪魔したことがあります。一番驚いたのが、商店街のみなさんが、翔子さんのことをまるで「我が子」のように大切に扱っていたことです。その夜、カレーを自炊すると言った翔子さんは、慣れた足取りで肉屋や八百屋に入り、店員さんとも意思を交わし、欲しい食材をちゃんと手に入れていました。なるほど、自分が住んでいる街に依存することで、ひとり暮らしができているんだなと心の底から納得しました。

翔子さんのお母さんが『金澤翔子の一人暮らし』という本を出されることになり、帯コメントを寄せる機会にめぐまれました。コメントは「前例がなければ、前例になればいい。」にしました。


「ダウン症の娘にひとり暮らしをさせる」といったら「危ない」「前例がない」と、ずいぶんと反対意見が出たそうです。でも、この世にあるすべての出来事は、「世界初の事例」だったことがあります。だから、前例がないなら、前例になればいい。

翔子さんがひとり暮らしを始め、前例ができると、社会がゆるみます。「もしかしたらうちの息子もダウン症だけどできるかもしれない」と、フォロワーが次々と現れます。数が増えると、傾向や対策、事例などが溜まってきます。すると、その情報を参考にしながら、さらにフォロワーが増える可能性があります。

そう、社会を変える第一歩は、自分が前例になることなんです。さらに、その一歩目オブ一歩目は、やっぱり「社会は変えられる」と思いこんでみる（勘違いする、でいいです）ことなんじゃないかなと思います。

毎日がエイプリルフール

ちなみにぼくは「毎日がエイプリルフール」だと思って生きるようにしています。どういうことかと言うと、周りの大人がエイプリルフールよろしく、嘘をついてるんだという前提で話を聞きます。特に、権力のある人、知名度の高い人や、打ち合わせで反対意見が出ないようなポジションの人、の発言は注意深く疑うようにしています。

たとえば、ゆるスポーツの構想段階のときに、あるスポーツ関係者(偉い人)に話をしたら「スポーツは崇高なもので、アスリートは憧れる存在だから、ゆるめるなんて誰も求めていない」と言われました。ぼくは、「お、きた！　エイプリルフールだ！」と思って、まったく真に受けなかったんです。もしその言葉を鵜呑みにしていたら、今ゆるスポーツはないでしょう。

あと、ぼくは「声がいい人」「堂々とした人」の言葉も、エイプリルフールフィルターで見るようにしています。国会を見ていても、大臣が、なんかいい声で、なんか堂々と、なんか良いことを言っているっぽいことがあります。

だけど、同じ答弁をラジオで聞いたときに、「まるで中身がない！」「ケムに巻かれてた！」と気づいたことがあったんです。

だからぼくは、自分自身のゆるさを守る手段として、「毎日がエイプリルフール」と思ってかかるようにしています。毎日がスリリングになって楽しいですよ。だから、「社会なんて変わらない」といい声で言っている大人がいたらまず疑ってください。それ、エイプリルフールです。

規格の内側から規格外へ

「障害者アート」というジャンルがあるのをご存じでしょうか？　アール・ブリュットとかアウトサイダー・アートとか、いろいろな言い方があり、フランスやイギリスなどヨーロッパでは50年以上前から盛り上がりを見せています。日本でも、工房などで、アート作品をつくっている障害当事者が増えてきています。そのうちの多くの人は、「いいものをつくろう」「いっぱい売ろう」と思って、作品をつくっていません。むしろ、工房（施設）の日中のアクティビティの一環として、あるいはリハビリなんかもかねて、自分のためにアート制作に励んでいる方も少なくありません。

その中で、ぼくが大好きな作品があります。綾瀬ひまわり園という施設に通っていた、堀田さんという、知的な障害がある方がつくった作品です。

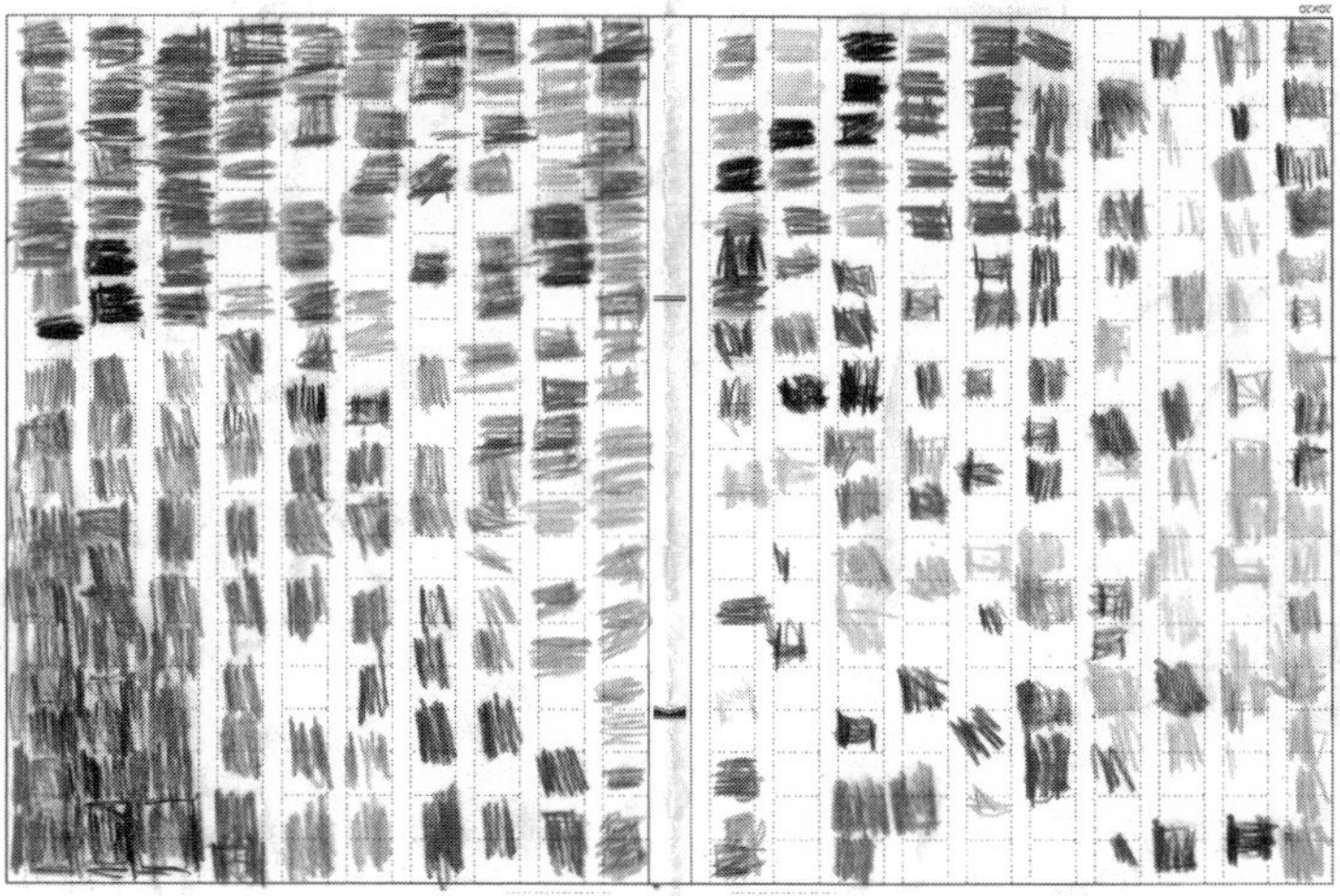

おわかりでしょうか？

実はこの作品、原稿用紙に描かれているんです。ぼくはもう、これを見たときに、椅子から転げ落ちそうになりました。ガチガチの世界をゆるめる、を標榜している自分ですが、まだまだガチガチだったんですね。「原稿用紙には文字しか書いちゃいけない」と思い込んでいたからです。でも、堀田さんは違いました。小さなマスをキャンバスに見立ててしまったんですね。この鮮やかな価値転換、お見事です。

生きることとは、常識という名の規格に自分をどんどんおさめていくことです。だからこそ、犯罪の抑止や、合意の醸成につながり、社会に秩序が生まれます。大切なことです。

でも、「絵とはこういうものだ」「原稿用紙とはこう使うものだ」と、規格に自分を当てはめすぎてしまうと、自分を存分に出せません。

堀田さんは、はなから規格に自分をはめようとしていません。だからこそ、規格外の作品ができたのです。アートとはそもそも、「常識をひっくり返す」ことがその本質的価値です。ピカソのゲルニカも、デュシャンの便器も、ウォーホルのトマトスープ缶も、先人たちの勝ちパターンに反旗を翻していて、それがアートだと評価をされています。つまり、アートこそ、ゆるめたもの勝ちなんです。

たとえば世間には賞がありますが、ぼくは賞レースが好きではありません。それは勝つための枠組みがすでに決まっているからです。それより、社会ではなく自分が求めるものを世に投じて、それが社会の新しい勝ちパターンになっていく方が気持ちよくないですか？

堀田さんの作品から、ぼくはいろいろなことを学びました。

ぼくが大好きな「プール」という詩も紹介させてください。

これは、当時11歳の、知的な障害のある少年が書いた詩です。見るたびに、「たべほうだいプールってなんだろう？　どんな味がするのかな？」「それぞれのプールをコースに見立てたから、各行の長さを揃えたのかな」とか、想像を巡らせてしまいます。ラストの「ふかいプール」も、いい味出してますよね。

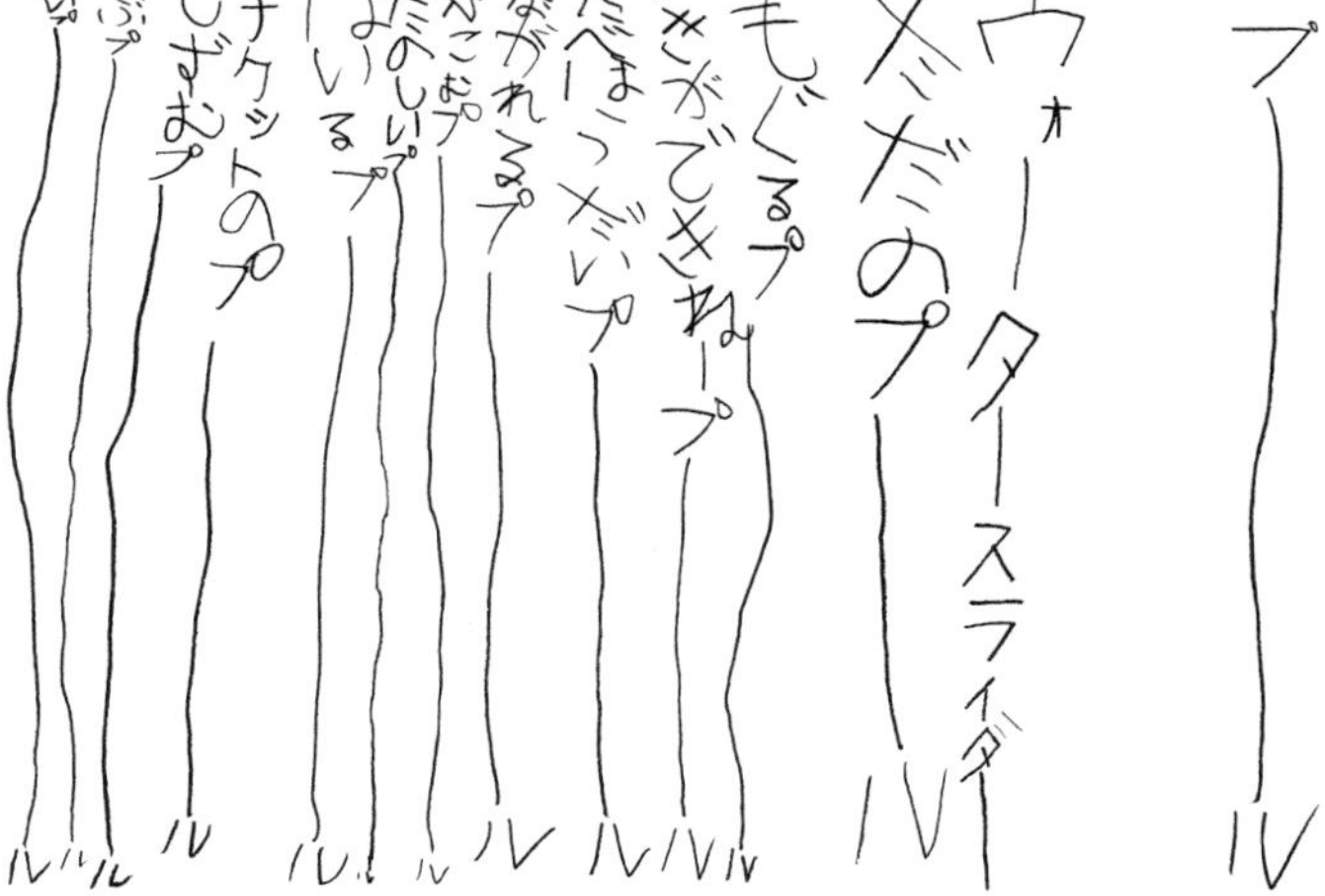

©第23回NHKハート展入選作品

「詩を書きなさい」と言われたら、それぞれの頭の中に詩の定型があって、「詩のような詩」ができちゃうことってあると思います。仕事柄、いろいろな詩をみることもあるのですが、「詩っぽすぎるな……」と思った瞬間、もうウッと読む気がなくなってしまいます。だって、それは誰かの轍《てつ》を踏んで歩いているだけだから。

同じように「絵っぽい絵」も「メタルっぽいメタル」も「スペキュラティブデザインっぽいスペキュラティブデザイン」も、全部ウッとなって目を閉じて耳をふさぎたくなります。

みんな、囚われすぎだ！　と思うんですよね。余談ですけど「囚」って怖い字ですよね。人が常識に包囲されているようだ……。

ぼくも含め、みんな分をわきまえすぎてま

せんか。そのわきまえている分は、真の自分ではないかもしれないのに。そんなことを、この「プール」からも感じます。規格外の詩ですよね。

歯車という着ぐるみをちゃんと脱ぐ

今でも日本社会は、学校や会社で、代替可能な歯車人材を量産していますよね（ちょっとずつ改善はされているとはいえ）。でも、歯車のままでは、何かに疑問をもったり、何かをゆるめたりできません。絶対できない、これは断言できます。だからこそ、歯車という着ぐるみを、意識的に脱がなくちゃいけない。そのために「毎日がエイプリルフール」みたいに、自分の目を覚ましつづけるための言葉を、自分でつくっているんです。言葉にビンタしてもらわないと、油断するとぼくも歯車です。

だからこそぼくにとって、障害のあるみなさんは師匠なんです。ゆるの師匠（勝手にそんな名前つけるなと怒られそうですが）。そんな師匠たちに恩返しするために、作品から刺激を受けたら、ぼくも直感的に何かをつくるようにしています。たとえば堀田さんの原稿用紙アート。ぼくは、どうしても身にまといたくなったので「ポケット」をつくりました。

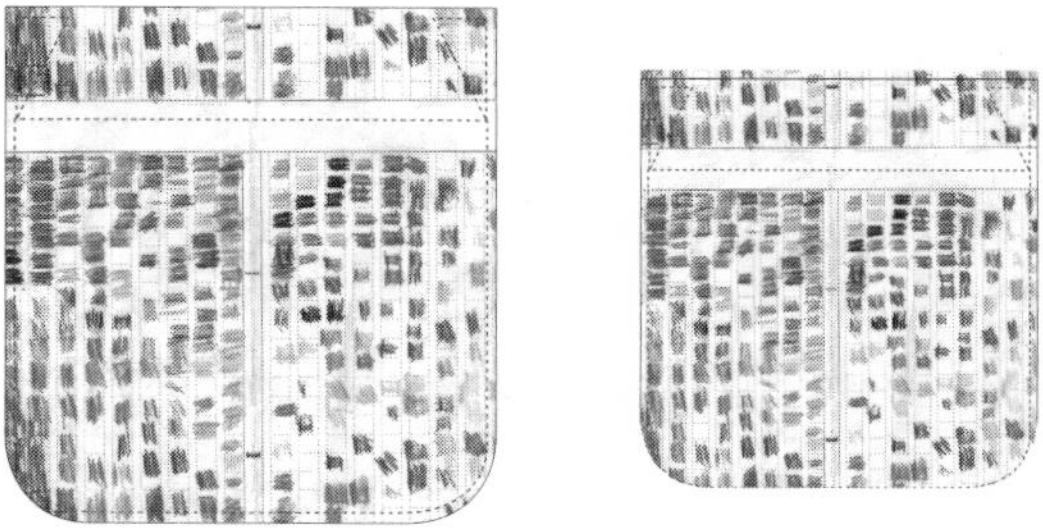

作品を、どうにも胸につけたくなった。そこに意味はありません。直感的に、ポケットにしたい！　と思ったんです。

また、「プール」の詩はボールにしました。この詩を無性に誰かと投げ合いたくなったんです。そこにも理由はありません。意味のストライクゾーンに自分を合わせていると、どんどん自分が縮小していくから、直感よりももっとプリミティブな本能に従ってつくりました。

だから何だ？　と思われるかもしれませんが、このポケットとボールをつくっている間、ぼくはすごく自由を感じたんです。そのとき、明らかにガチガチな世界の外側にいました。

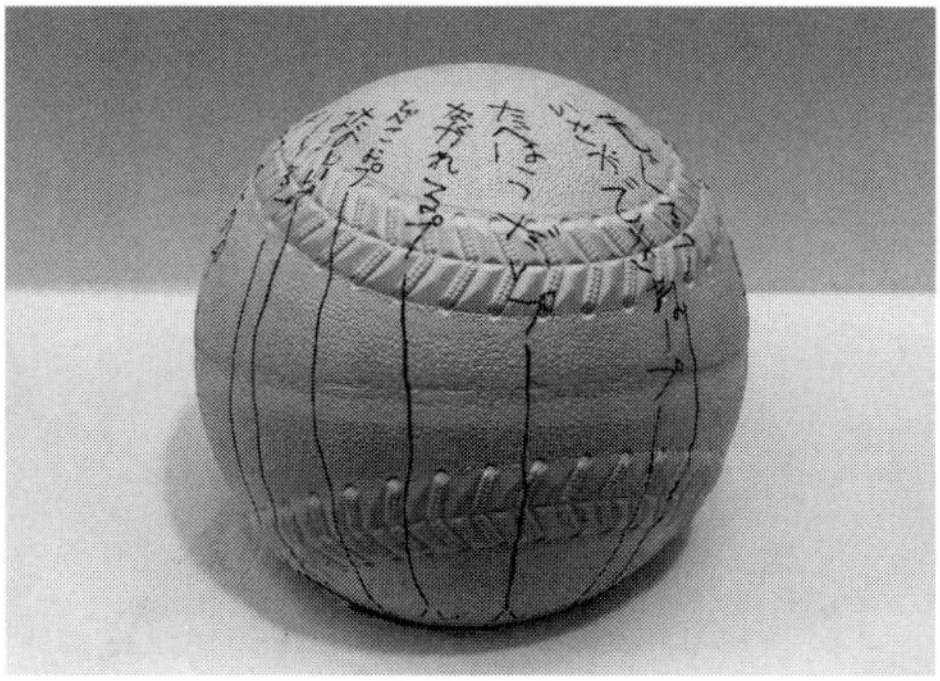

異色のままでいていい

あそどっぐさんという芸人さんがいます。でも普通と違うのは、「寝たきり芸人」ということです。あそどっぐさんは、脊髄性筋萎縮症という病気で、顔と左の親指しか動きません。ヘルパーさんに介助されながら暮らしています。だけど、ストレッチャーに乗ったまま、お笑いライブに出場したり、テレビにも出たりと、活躍されている芸人さんです。

で、あそどっぐさんが２０１７年に写真集を出したのですが、そのお手伝いをしました。タイトルは「寝た集」。浮かんだ瞬間、これしかないと思いました。

もう、つくりながら驚きの連続なんですね。何かというと、ネタが「異色」の連続なんです。寝たきりという状態を逆手にとって、見事に笑いに昇華させています。本当に面白い！

チャップリンが「人生はクローズショットで見れば悲劇だが、ロングショットで見れば喜劇だ」という言葉を残してますけど、それを地でいっているのがあそどっぐさんです。自分をちょっと遠くから見つめて、自分を巧みにプロデュースする。

そこに、「誰かの色に染まる」という選択肢はないんですね。自分は独特なんだと割り切って、できないことは諦めて、信じた道を突っ走る。

これはガチガチの対極で、ゆるい生き方ですよね。だからあそどっぐさんの、何が起きても「自分は異色のままでいいんだ」というスタンスはブレないと思います。お会いするたびに、「ぼくもぼくのままでいいんだ」と勇気づけられます。

九州生まれ、
九州育ち、
体悪そなヤツらはだいたい友だち。

手相占いで、

「意外と生命線が長い」と笑われた。


２０１６年に、相模原障害者施設殺傷事件が起きて、19人の障害者が殺害されるという事件がありました。犯人は「意思の疎通が取れないような重い障害者は、安楽死させたほうが良い。彼らは人々を不幸にするだけだから」と繰り返しています。でも、本当でしょうか?

ご自身も難病当事者の海老原宏美さんはこう言います。

「あるのは、『価値のある人間・ない人間』という区別ではなく、『価値を見出せる能力のある人間・ない人間』という区別です」

この言葉、本当にそのとおりだと思います。この章で紹介したように、ぼくにとって障害のある友人たちは、みんな「ガチガチの世界からの脱出法」を教えてくれる師匠たちです。ぼくの人生には、なくてはならない存在です。「社会的弱者」なんかじゃありません。

社会的弱者は、周りがその先入観を捨てる日から、社会的弱者ではなくなります。人の価値は、自分だけではなく、まわりも一緒につくっていくんです。お互いを決めつけない、お互いを磨き合うんです。そんなゆるい人間関係を、もっと日本に増やしていきます。

第10章 標準をゆるめる

さて、この本もいよいよ終盤に差し掛かってきました。最後の章では、ぼくが意図的に起こした変化についてお伝えします。

人生には句読点が必要

息子の障害が発覚したとき、ぼくは働き方や生き方を、一度立ち止まって見直すことにしました。そして、かなりのテコ入れをしました。振り返るとこの時期は、ぼくの人生における「、」「。」だったと思います。それまでの人生に一度ピリオドを打ち、また新しい人生をスタートしました。

もしも息子が生まれていなかったら、大きな不満もなく、そのまま福祉の世界と出会うことなく、働いていたと思います。もちろん、それはそれで幸せでしょう。でも、キャリアが仮に40年あるのだとしたら、40年分の長い一文を綴るよりも、一旦、キャリア10年目くらいで句読点を打てたことが、ぼくにとっては良かったのです。

このとき、ぼくは決意しました。「自分の標準は、自分で決めよう」。なぜかというと、息子の障害がわかったとき、ぼくは悲しくなりましたし、まわりも悲しい想いをしました。でも、それはメディアや社会がつくったイメージに支配されていたからです。なぜなら、本書を読んでわかっていただけたと思いますが、「障害がある＝悲しい」というイメージって、明らかに間違っていますよね。

実際に障害のある少年と毎日過ごしてみると、実に普通です。彼は生まれつき見えないので、それが当たり前。そんな彼に「見えないからかわいそう」と言うのは、鳥が人間に「翼がないからかわいそう」というのと同じです。

障害者がかわいそうって、関係ない人が決めるのはおかしい。そもそも障害者という主語が大きすぎて、「精度」が低いですよね。「健常者は普通」って一口に言われたら「決めつけないで！」「雑な決めつけだな！」と思いませんか？ それと同じです。

だから、社会の標準に従うのではなく、自分の標準をつくろうと決意しました。これは、標準のゆる化です。

また、それまでの自分は「弱さは恥」「淡白な人間関係がいい」などと、かなり冷めた人間だったのですが、息子が生まれたことで過去の標準が合わなくなっていたのも、ゆるめるきっかけになりました。

弱さを誇る

ぼく自身のありとあらゆる価値基準を一新したのですが、やはりその中でも大きかったのが、「弱さ」の価値転換をしたことです。息子の障害もそうだし、自分がスポーツ弱者ということも含め、「弱さを誇る」と決めました。もう、そういう標準だと決めたら、決めたのです。

よく教育で「強みを伸ばそう」ということを聞きますよね。これ、半分当たっていて、半分間違っていると思います。

当たっているというのは、もちろん、強みを伸ばしておくに越したことはないからです。伸ばせるものは、どんどん伸ばすべきでしょう。

だけど、それがすべてだとぼくは思いません。むしろ自分が強みと思っているもの、それ以外の自分に、自分らしさが宿っていることがあると実感するからです。

「幸福な家庭はどれも似たものだが、不幸な家庭はいずれもそれぞれに不幸なものである」（『アンナ・カレーニナ』）

これは、ぼくが好きなトルストイの言葉です。なんだか、一見暗い言葉に見えますが、そうでしょうか？　ぼくはこの言葉に希望をもらったのです。

ちょっとわかりやすく映画にたとえましょう。映画監督に、「幸福な家庭のシーンを描いてください」とお願いすると、どうなるでしょうか。たぶんですが、綺麗な一戸建てとかに、４人家族がいて、大型犬がいて、ケーキがあって、はじける笑顔があって、なんてＣＭのようなワンシーンに落ち着いてしまうのではないでしょうか。

一方、「不幸な家庭のシーンを描いてください」だとどうでしょう。吹きさらしの家に身を寄せ合って暮らす家族、マフィアに追われる家族、宇宙人にさらわれそうになっている家族、描き方は監督によってそれぞれだと思います。

ぼくはこのトルストイの言葉を、「強さは一律、弱さは多様」というメッセージだと解釈しています。

強みってやっぱりいろんな人とかぶるし、似通っています。なぜかと言えば、強みというのは今の社会が決めた物差しの上で競っているものだからです。たくさん資格を取っても仕事がない状況が生まれているのは、その資格があなただけのオリジナルじゃなくて他の人とかぶっているからです。「英語ができる」とか「料理が上手」とか「保育士の資格を持っている」とか、そこだけで競争すること自体に限界があります。

逆に、強み以外の「弱み」、もしくは強みだとさらさら思っていないことにこそ、あなたが表出します。ぼくは足が速かったら、ゆるスポーツを始めていません。障害のある友人たちは、障害がなければユニークな働き方をしていません。


だから、強みに頼りすぎる風潮は、けっこう危ないんじゃないかなと思っています。強みを頼りにしつつも、強み以外の「何気ない自分らしさ」も大切にして、全人格で、チーム自分で、この社会を生き抜くべきなのです。

みんなカッコつけすぎじゃないかな？　と思うことがよくあります。講演会とかに行くとリーダーたちが自分のまばゆい栄光や強い人間性をアピールします。たとえば、企業の採用ページをみると、先輩たちは同じく自分の強さを誇示します。

でも、「私これできます！」じゃなくて、「私これできません！」と堂々と言える空気にもなってほしいなと思います。「自分ができないことは、誰かを輝かせるためのすごいことなのだ」と自信を持っていいと思うんです。申し訳なさそうな態度はやめて、自慢してほしいです。

数年前、テレビで白鵬関のインタビューを観ました。当時の白鵬関は63連勝の記録を打ち立てていて、すごく強かった。でも、白鵬関も一時期スランプにおちいったんです。そのスランプの時期の特集がNHKで放送されていて、番組の中で、取り組みへ向かう白鵬関が「怖い」と言ったんです。ぼくはその言葉に救われました。白鵬関のことをスーパーマンだと思っていましたけど、なんだ、横綱も怖いんだ、ぼくと同じで弱さを抱えているんだ、と気づいたんです。一見するとみんなの憧れみたいな人が、ふと弱さを見せるのって素敵だなと思いました。

だからぼくも、学校へ呼ばれて授業をするときには特に、なさけない自分をどんどんさらけ出すようにしています。「ぼくは小学校の頃、本当に足が遅くてさ〜」という話をすると、子どもたちがホッとしたような顔を見せます。それがツカミになって、距離がぐっと縮まるんです。大人が弱さを出すのって、大人の仕事のひとつじゃないかと思っています。足が遅いことはぼくの長年のコンプレックスだったのですが、それを逆手に取ってみたら別の道が開けました。

弱さは、人と人をつなげる紐帯なんですね。

ぼくは、日本が生みだした「金継ぎ」という伝統手法が大好きです。割れたり、欠けたりしている器の破損部分に、金などを装飾する技法で、大変美しい。なにより、ひとつとして同じひびや欠けがないので、装飾もオリジナリティたっぷりになります。破損部分を修復して、なかったことにするのではなく、その弱さを磨いて、新たな強みに変える。弱さを誇る、お手本のような文化です。

複雑な関係性を求める

また、自分の新標準として、「複雑な関係性を是としよう」とも決めました。

たとえばゆるスポーツの現場では、同じスポーツをつくる仲間としても、同じスポーツで遊ぶチームメイトとしても、さまざまな関係性ができていきます。

だいたいの人間関係において、関係性ってわりと単一ですよね。たとえば上司と部下とか、妻と夫とか、親と子とか、友人関係にしてもなんとなく関係性が硬直してしまいがちです。こうして固まった関係性を、いろんな糸で複雑にすればするほど、世界は豊かになっていきます。たとえば、今までは接したことがなかった障害者とチームメイトになって、そのまま友だち同士になったり。単なる顔見知りだった会社の上司とも、また別の関係性が生まれたり。日常とは離れた場所で、「メイト」になれると、ガチガチに固まってしまった単一な関係がゆるまります。

たとえば、AさんとBさんがいたとして、「同僚」という一本の糸しかないと、仕事でトラブルを起こしたときに関係性が途絶えてしまいます。しかし、たとえば一緒にスポーツをやったことがある「チームメイト」という糸でつながっていたら、「同僚」という糸が切れたとしても、関係は持続可能になるんです。今は人間関係が脆くなりすぎていると、ぼくは思います。

いろんな人といろんな関係性の糸で結ばれれば結ばれるほど、それがセーフティネットとなって、生きやすくなっていきます。糸は赤、緑、黄色といろんな色があっていいし、太い糸もあれば薄くて細い糸もあっていいんです。遠目にめちゃくちゃ複雑でカラフルな蜘蛛の巣みたいになっていたら最高です。


たとえば社会人になると、同期という関係でも、上司と部下という関係でも、「お互いにもっと頑張らなきゃ」という感じになりがちで、あまり弱みを見せなくなりますよね。たとえば上司は部下に負けちゃいけない、いつでも指導する立場にいなくちゃいけないと思うかもしれませんが、実はそんなこと全然ないんです。上司が部下に「俺、もうどうしていいかわからない」と言うと、意外と部下が頑張ってくれることってよくあるんです。弱みを見せることで、周りが動いてくれて仕事が回ること、あります。

人って本来は多面的で、いろんな顔を持っていて、複雑な存在なんですが、今はどうしてもシンプルな「キャラ」を演じがちです。人間は一面的じゃなくてもっと多層的なはずなので、もう一度、複雑な関係性を取り戻したいんです。

たとえば芸能人やアイドルでも、長く人気がある方はいろんな面をちゃんと見せ続けていますよね。テレビやライブ、ラジオ番組によって見せる面がくるくると違っています。その違った面がたくさん見えれば見えるほど、ぼくらは安心してその人と接することができます。その人の一面しか見えないと「全然こちらに心を開いてくれてないんじゃないか」という感じがして、不安になりませんか？

で、複雑な関係性を生みだすためにも、コンプレックスの蓋を外すことは、やっぱり重要だなと感じます。そもそも、コンプレックスとは何も「劣等感」だけを指しません。「複合」とか「複雑」という意味合いです。もっというと、みんなの心の地下3階くらいに眠っている、多様な感情や記憶がごちゃっと複雑にまとまった集合体のことです。

ぼくは、なるべく自分のコンプレックスを地上に出します。ダサい一面、未消化な感情、茫洋とした意識。特にゆるスポーツは弱さが起点になることが多いので、コンプレックスを出すとコンテンツになることがあります。

だから、ぼくはゆるスポーツをはじめとした「ゆるカルチャー」を通じて、複雑な人間関係をあえてつくろうとしています。相手に多面的になることは求めませんが、こっちはグイグイ出すようにしています。複雑で豊かな人間関係を積極的につくる。これも、新しい標準として定めたものです。

息子が生まれるまでの自分は淡白で、あまり他者に興味がなかったので、この新標準は人との向き合い方を劇的に変えてくれました。もちろん、今の方が圧倒的に楽しいですよ。

自分の言葉は、自分でつくる

このように、ぼくは自分の新標準をいっぱいつくりました。この他にも、すでに本書で登場していますが「逆プロフェッショナルになろう」という新標準を決めました。ぼくがスポーツ弱者だったからこそ、ゆるスポーツが生まれました。逆プロフェッショナルこそが、ゆる化を巻き起こせる「その道のプロ」なんです。また、クライアントとかお金のためではなく、ともだちのために仕事をするために「BtoB」「BtoC」ではない「TtoT(Tomodachi To Tomodachi)」など、仕事をする上での標準も定めています。

なぜかというと、自分が納得いくレベルにまで言語化(言葉落ち)しないと、誰かがつくった言葉やスタイルに流されてしまうからです。それって、ガチガチ社会を構成する、ガチ要員のひとりになることを意味すると思っています。自分らしく生きるためには、やっぱり自分の言葉を持っておくことが大切です。

また、マイ言葉、マイ尺度を持っていると何がいいかというと、「他者評価」の地獄から脱出できるということです。弱さを誇っている自分は今、息子のことも、自分のことも誇りです。また、コンプレックスを交換し合うような複雑な関係性が、大好きでたまりません。

これって、他人が、「障害ってかわいそう」「運動音痴ってダサい」「複雑な人間関係って面倒くさそう」といくら言ったところで関係ありません。ぼくは、ぼくの標準で生きているからです。

ゆるく生きる

ただし、ここでもゆる精神が大事になってくるのですが、ぼくは自分の標準に固執しているわけでもありません。また、「絶対」とも思っていません。ゆるく生きるということは、「絶対」という言葉を自分の辞書から消すことでもあるのです。既存の標準をゆるめて、自分の標準をつくるけれど、相変わらず定位性も持たず、たえずゆらゆらと揺らいでいる状態。それこそがゆるい人生です。

ぼくは「壊す」という表現が好きではありません。「固定観念をぶち壊そう！」とか、そういうやつです。物騒で震えちゃいます。「創造的破壊」とかも平伏しちゃいそうになります。また、壊すという表現は違和感があります。それまで先人が積み上げてきたものを壊して更地にすることは不可能だからです。ではなく、やはりぼくは「固定観念をゆるめよう！」の方が納得がいきます。

実は、自分が新たに定めた標準のうち、一番大事なのが、この「ゆるく生きる」ということなんですね。みんながあまり価値を感じていない、それどころか人によってはマイナスイメージを持つ、この言葉に賭けてみようと思いました。

ガチは、折れる。
ゆるは、しなる。

これはぼくが日々感じている、ゆるの効力です。息子が生まれるまで、ぼくはガチで頑固な人間だったのですが、思考が固まりすぎて、不測なことが起きたときに、心が折れてしまいそうになったことが何度かありました。

でも、「絶対なんてない」とゆるく構えておくと、何かが起きたとしても、心がしなることはあっても折れはしません。

それを身をもって感じたのが、コロナウイルスによる緊急事態時でした。

確かに大変ではあったけど、自分の中では冷静に「どうやってコロナと共存すればいいか」を考えられたんです。また、地殻変動が起こる中で、みんなが見過ごしているものはないかと、日々観察しました。

そして、「医療現場にマスクを」とはみんな言っているけれど、「福祉現場にマスクを」と言っている人が全然いないことに違和感を持ちました。善は急げと、すぐに福祉現場に3000枚ほどのマスクを届けようとしたら、あっという間に予約が埋まって、やっぱりマスクが足りないことがわかった。そこで、「#福祉現場にもマスクを」というプロジェクトを4月22日に立ち上げました。その後2か月で、60万枚以上のマスクを1400以上の福祉現場に届けることができました。

このプロジェクトは構想から開始まで1週間でロケットスタートしました。それは、今この瞬間マスクが不足している福祉現場があると知っていたことと、あとは自分の基本姿勢を「ゆるく」保っていたからだと思います。すなわち、現状に安住するのではなく、常に腰を少し浮かせた状態だったので、何かに固執することなく、すぐに動き出すことができたのです。だから、コロナ禍において、もっとも自分を救ってくれたのは、「ゆるく生きる」という自分で定めた新標準でした。

社会の価値観は、流動的なものです。だけど、なぜか知らないけれど、価値観はガチガチだと思いがちです。そんなことはありません。この世界に、未来永劫硬いものは存在しません。岩も石も、長い時間をかけて砕け散ります。世界はどんなときでも、ゆるめられる。自分最適な世界をつくれる。そう信じつづけることで、どんなアウェイもホームに変えることができます。本当ですよ。

生産性に代わる標準

息子は障害があるので、彼が大人になってもいわゆる経済観点での「生産性」は低いかもしれません。でも、当たり前ですが、人間の価値というのは経済的な生産性だけで測れるものではありません。

ぼくは、息子から（どんな偉人よりも）多大なる影響を受け、結果、本書に書いてある活動を生み出し、進めることができました。これは息子単体の「生産性」には反映されない、周囲への「波及性」の結果です。そういう意味では、ぼくの息子の波及性は異常に高いことになります。また、まわりの障害児の親御さんを見ていても、我が子きっかけでNPO法人を立ち上げたり、放課後デイサービスをゼロからつくったりと、エネルギーに満ち溢れて活動している人が少なくありません。

だから今、ぼくは「生産性」だけではなく、その人がもつ「波及性」にも注目しています。生きるというのは、お互いに影響を及ぼし合うことに他なりません。湖を観察していると、風に揺られて、あるいは鳥や魚の動きに応じて、小さな水紋がいくつもできて、ぶつかって、重なり合っては、消えるのが見てとれます。ぼくは、その水紋こそが、生きることだなと思うのです。スッとやわらかく、別の水紋と触れ合って、形を変えていく。生きるとは、波及しあうことです。もちろん、だらだらとした働き方をなくすために、「生産性」という指標も大事です。だけど、日本らしく、生き方や働き方をゆるやかに認める、「波及性」のような標準もまた、あってしかるべきではないでしょうか。

このように、自分が納得のいくルールや標準をつくることは、自己防衛や、自分の大切な人を守ることにもつながります。外からワイワイ言ってくる人は、基本的には観客席から好きなことを言っているのです。気にすることはありません。あなたは、あなたの人生のプレイヤーとして、あなたのフィールドで伸び伸び活躍してください。

おわりに

このずいぶん変わった本に、最後までおつきあいいただきありがとうございました。ここに書かれたことは、ほとんどがぼくの独学で、自分自身のために蓄積してきたものです。それが、どれほどみなさまのお役に立てるかはわかりません。でも、この本を読んで、ひとりでも「世界をゆるめてみよう」と思ってくれたのであれば、大成功です。そして、そのひとりがあなただとすれば、もう言うことはありません。

人生は、伏線があることもあれば、ないこともあります。ぼくは、息子が障害を持って生まれてきたのは、まったく前触れがなかったので、心が骨折しかけました。準備ゼロでアイアンマンレースに出るようなギャップでした。暗闇に立たされて、世界にまったく歯がたたないと思いました。

でも、なんとか今日まで立っていられています。それは、やっぱり「ゆる」という本当に魅力的な概念と出会えたからなんです。世界中どこを探しても、ゆるに感謝している人はぼくだけかもしれませんが。

息子の障害が発覚した当初、よく言われたことがあります。それは「これから医療が発達するから大丈夫だよ」「iPS細胞が進化すれば、きっと見えるようになるよ」。そういう言葉を聞くたびに、ぼくは悲しくなりました。なぜなら、「息子は見えないままではダメなのか?」と感じたからです。ぼくは「医療が発達するから大丈夫だよ」ではなく、「今のままで息子さんが幸せになれる社会を一緒につくろうよ」と言ってくれる人を探していたのかもしれません。それが、成澤俊輔さんをはじめ、出会ってきた数々の障害のある友人たちの存在でした。感謝してもしきれません。

日ごろから世界を一緒にゆるめてくれている、世界ゆるスポーツ協会と世界ゆるミュージック協会のメンバーにも感謝します。ひとりでは、世界はゆるめられません。この本に登場するスポーツや楽器を一緒につくってくれたメンバーのクレジットを、最後にまとめてあります。実は版元からは渋い顔をされたのですが(笑)、この点だけは譲れなかったのでがっつり固執してしまいました(ゆるくない)。

この本は、ライター奥野さん、版元代表の北尾さんに、長々としたゆる談義におつきあいいただいたことにより、できあがりました。根気強く話を聞き出していただき、ありがとうございます。また、奔放に動いているぼくを支えてくれている妻にも感謝します。いつもありがとうね。

最後に、息子に感謝したいと思います。彼がいなければ、この本に書いてあることの99%は実現していないでしょう。ゆるスポーツもないと思います。だから、彼はぼくを変えてくれた人でもあり、社会を変えてくれた人です。あなたが生まれなければ、この世に生まれなかったものがある。

では、いつかまた会いましょう。今日よりもゆるくなった新しい世界で。

「ブラックホール卓球」
スポーツクリエーター：大瀧 篤
デザイナー：斉藤安奈
サポーター：松下浩二（元卓球日本代表）、永松繁隆
ラケット製作・会場提供：株式会社タクティブ（TacTive,Inc.）

「トントンボイス相撲」
スポーツクリエーター：大瀧 篤、諏訪 徹、田中 寿
デザイナー：本多 集、神永恵実、久川尚太
プロデューサー：水野博之
テクニカルディレクター：二階堂賢、小林展啓
エンジニア：岩元 友、リチャード・シケンブリ
映像ディレクター：葉大
映像プロデューサー：藤崎克也
紙相撲力士：全国紙相撲倶楽部
協力：介護老人保健施設ひとりざわ

「TYPE PLAYER」
企画／プロデュース：澤田智洋
プロダクトデザイン／メカニカルエンジニア：北川昌弥
テクニカルディレクター：武山英敏、加藤友紀
ロゴデザイン：出雲優子
サポート：大瀧 篤
共同開発：トンガルマン株式会社

「ウルトラライトサックス」
企画／開発：後閑研一
ロゴデザイン：笠 亮

「POSE GUITAR」
企画:澤田智洋
開発:金稀 淳
ロゴデザイン:三近 淳

「ハットラグビー」
スポーツクリエイター：澤田智洋、萩原拓也、yaddy
ロゴデザイナー：三近 淳
協力：NPO法人スポコレ

「緩急走」
スポーツクリエーター：澤田智洋
アートディレクター：大久保里美
デザイナー：福嶋佳苗、山本 希
サウンド：馬場宏樹
映像作家：釜石拓真
共同開発：テイ・エス テック株式会社
監修：BEYOND GIRLS

※本書に登場するスポーツ／音楽の開発メンバーのみ掲載しています。

ガチガチの世界をゆるめてくれている仲間たち

「500歩サッカー」
スポーツクリエイター：澤田智洋
アートディレクター：大久保里美
デザイナー：福嶋佳苗、山本 希
プロデューサー：渡辺良信
エンジニア：植田真弘
クリエイター：加瀬悠人
共同開発：ミズノ株式会社
心臓スポーツアドバイザー：
ミウラタケヒロ

「イモムシラグビー」
スポーツクリエイター：澤田智洋、yaddy
イモムシウェアプロデューサー：
佐柁ユウ巳
ロゴデザイナー：宮崎 史
デザインコーディネート：小原淳平
アンバサダー：上原大祐
（パラリンピック銀メダリスト）

「ベビーバスケ」
スポーツクリエイター：
八木原泰斗、松田 壮、新美太基、
氏田雄介、佐々木晴也
ロゴデザイナー：佐藤ねじ
ボールデザイナー：桐越奈緒子
アンバサダー：藪内夏美
（バスケットボール元日本代表キャプテン）

「ハンぎょボール」
スポーツクリエイター：萩原拓也
デザイナー：小笠原緑、
郷原麻衣、五十嵐万智
映像作家：釜石拓真
共同開発：氷見市役所

「ハンドソープボール」
スポーツクリエイター：澤田智洋
デザイナー：斉藤安奈
アンバサダー：東 俊介
（ハンドボール元日本代表キャプテン）
サポーター：萩原拓也 、八所和己
映像ディレクター：山部修平
映像プロデューサー：藤崎克也

「顔借競争」
スポーツクリエーター：
大久保里美、奈雲政人
スポーツディレクター：大瀧 篤
アートディレクター：大久保里美
デザイナー：福嶋佳苗、山本 希
サウンド：馬場宏樹
映像ディレクター：山崎拓也
映像プロデューサー：藤崎克也
共同開発：NEC（日本電気株式会社）

澤田智洋（さわだ・ともひろ）

世界ゆるスポーツ協会代表理事／コピーライター。1981年生まれ。幼少期をパリ、シカゴ、ロンドンで過ごした後、17歳の時に帰国。2004年、広告代理店入社。映画「ダークナイト ライジング」の『伝説が、壮絶に、終わる。』等のコピーを手掛ける。 2015年に誰もが楽しめる新しいスポーツを開発する「世界ゆるスポーツ協会」を設立。 これまで80以上の新しいスポーツを開発し、10万人以上が体験。海外からも注目を集めている。 また、一般社団法人 障害攻略課理事として、ひとりを起点に服を開発する「041 FASHION」、視覚障害者アテンドロボット「NIN_NIN」など、福祉領域におけるビジネスも多数プロデュースしている。

ガチガチの世界をゆるめる

2020年10月14日　初版発行

著者　澤田智洋

イラスト　こいずみめい
デザイン　五十嵐ユミ
構成協力　奥野晋平
発行者　北尾修一

発行所　株式会社百万年書房
〒150-0002　東京都渋谷区渋谷3-26-17-301
tel 080-3578-3502
http://www.millionyearsbookstore.com

印刷・製本　株式会社シナノ

ISBN978-4-910053-17-2